女性用風俗No.1セラピストのプロSEX

KENJI 著

星天出版
SEITEN SHUPPAN

「女性用風俗」という天職

女性用風俗店・東京秘密基地グループのセラピスト（キャスト）になってから、俺の価値観は変わった。一番大きなきっかけは、1年以上リピート指名してくれていたお客様からの言葉だ。

「ねえ、私、今までずっとイッたふりしてたの」

一瞬フリーズしたが、なんとかポーカーフェイスを保って「そうなんだ」と答えた。そのあとめちゃくちゃ勉強した。

お金を払って性感マッサージを受けている女性でさえ演技をするんだから、プライベートのセックスなんて演技だらけだ。これは「男は女性の演技を見抜けない」ってことでもあって、女性を性的に満足させるのはめちゃくちゃ難しい。

それでも女性用風俗の世界に足を踏み入れてからの3年間、ほぼ毎日女性の体に触れて性開発に打ちこみ、ついに全国800名ものセラピストからナンバーワンに選ばれた。ありがたいことに、予約は常に満了。名古屋にいる俺のもとへ、全国からお客様が訪れる。100回以上リピートするお客様もいる。

これだけ人気が出た一番の理由は、自分を過信しなかったから。ナンバーワンになった今でも「俺にはテクニックがある」とは思わない。セラピストになってからしばらくは全然予約が入らなかったし、勉強して経験を積み「うまくいった」と手応えを感じても、突然去っていくお客様も、リピートしないお客様もいる。

男はプライドの生き物だから「自分は下手じゃない、自分が相手を満足させているはず」と思いたがるが、そんなのは妄想だ。プロの俺だって百発百中じゃないのに、フィクションのAVしか知らず、エロの勉強もしたことない人が、ちゃんとセックスできるはずがない。快感や女性の仕組みを学ばずベッドに赴くのは「コンドームをつけなくても外に射精すれば問題ない」と思い込むぐらい危険だ。（外に射精しても妊娠の可能性はあるし、そもそも性病のリスクがある）

この本には、1000人もの女性の心に向き合って〝性開発のスペシャリスト〟と呼ばれるようになった俺のノウハウを惜しみなく詰めこんだ。企業秘密を明かすようなものだけど、女性用風俗の仕事や関わってくれた人たちへの恩返しのつもりだ。

何をやっても続かない人間だった俺が、女性用風俗の仕事だけは続いている。天職だと思う。別に「女性を幸せにしたい」なんて高尚な目的があってこの世界に入ったわけじゃないが、お客様に支持されて『東京秘密基地』という大手女性用風俗店の看板を背負うようになった今は、セラピストとしての使命感がある。

AVが男性主体のフィクションなら、女性用風俗は女性主体のノンフィクションだ。女性がお客様だからこそ、女性の本音に限りなく近づける。女性の体はもちろん、心についても解説するので、この本を読めば女性の心身を満たす真のセックス力を鍛えられるはずだ。女性の快感を極限まで高める〝プロ級のセックス〟を体験したい人は、ぜひ読んでほしい。

※女性の依存度が高いから、悪用しないように！

女性用風俗とは？

女性向けの性風俗店。男性セラピスト（キャスト）がマッサージやデートなどの性的サービスを提供する。性感マッサージをメインとするが、デートだけの利用客もいる。挿入行為は禁止。

東京秘密基地とは？

全国に展開している大手女性専用風俗店。基本的には、カウンセリング→全身エステマッサージ（指圧・オイルなど）→ファンタジーマッサージ（性感マッサージ）の流れで施術を行う。性感マッサージを「ファンタジーマッサージ」、略して「ファンマ」と呼ぶ。

セラピストとは？

女性用風俗の男性キャスト。主にツイッターを個人の営業ツールとし、利用客とのやり取りではＤＭ（ダイレクトメッセージ）を活用するのが一般的。専業も兼業もいるが、兼業のほうが多い。女性客はセラピストより年上であることを気にするため、30〜40代のセラピストもニーズがある。

0章

女性用風俗でナンバーワンになるまで

1章

男が陥るセックスの落とし穴
～セックスを制するマインド～

2章

〝エロいい男〟になるとうまくいく
～欲情させるコミュニケーション～

3章

絶頂の快感へ誘う〝安心と興奮の黄金比率〟
～基礎テクニック～

4章

プロの性癖オプション
～応用テクニック～

0章

女性用風俗でナンバーワンになるまで

100人斬りしたのに、女性用風俗のテストは47点

今この本を読んでいるあなたは「こいつはもともとモテる男で、エロのセンスがあったんだろう」と思っているかもしれない。半分は正解で、半分は間違いだ。思春期からモテてきたのは本当で、セラピストになる前から経験人数は3桁だった。

なのに、俺のエロは独りよがりでヘタクソだった。モテとエロは比例しない。女性用風俗店でセラピストにならなかったら、一生天狗だったろう。考えるだけで恐ろしい。

女系一家に生まれて女性の扱いはわかっていたし、持ち前のコミュ力でお酒の場を盛り上げるのは大得意。ノリと自信でグイグイ引っ張れば、ベッドに連れ込むのは超簡単だった。みんな気持ちよさそうに喘いでいたから「俺のセックスはうまい」と信じて疑わなかった。

自信満々で女性用風俗の仕事を始めたら、デビュー前から派手につまずいた。東京秘密基地グループでは、セラピストになる前に研修とモニターテストを受ける。モニターテストは待ち合わせでの対応、ホテルまでのエスコート、施術前の準備、指圧・オイル・性感マッサージなど、それぞれの項目が細かく評価され、総合点数が出る。そこで合格点を取ればデビューできる。

さて、俺の点数はというと47点だった。平均は80点と言われていて、低くてもせいぜい60点くらいなのに、快挙すぎる。悪い意味で。

オラオラ系だった俺にとって、1対1の丁寧なコミュニケーションは謎極まりなく、〝お客様〟にどう接すればいいのか全然わからなかった。ムード作りから施術まで全部ダメで、最後まで女性は心を閉じたまま。だから47点。

1回目の大失敗を経て、テクニックより先にコミュニケーションを学んだ。先輩に「俺、どうしたらいいですか!」と片っ端から聞いて、上から力任せにグイグイ引っ張るのではなく、女性を立ててエスコートしないといけないと知った。

男のしゃべり方は、語気が強くてエロに向いていない。声量を抑えてやさしい口調にしたら、自然とマッサージもやさしくなった。「やさしいコミュニケーション」という基本を押さえたことで、2回目のモニターテストは一気に85点になり、何度かテストを受けてようやくデビューできた。

でも、このレベルで売れるほど甘くはなかった。

風俗嬢に〝イったふり〟をされて学んだこと

デビュー後も鼻をへし折られ続けた。札幌支店の立ち上げでリーダーになり「人気店にするぞ」と意気込んでいたが、寝ても覚めても電話が鳴らない。たまに予約が入っても手応えはなく、当然リピートされない。初月の売り上げなんて1万5000円だ。コンビニで2、3日バイトしたほうがいい。

それでもコツコツ勉強して経験を重ねていくうちに、少しずつお客様がついた。長くリピートしてくれるお客様も増え、施術するたびに「いい感じだぜ」と自信を持てるようになったタイミングで、冒頭の『1年以上イったふり事件』が起きた。

そのお客様は風俗嬢で、イくふりのプロだ。でもハッキリ物事を言う性格だったし、何度も会って気心知れた仲になっていた。俺の上顧客でもあって、多少のワガママは言える立場だったのに、ずっと本音を言えなかったらしい。

「今までずっとイッたふりしてたの」と言われても必死でポーカーフェイスを保ったのは、謝ったら気を遣わせると思ったからだ。ここで「ごめんね」と頭を下げても「いいよ、気にしないで」なんて言わせて、さらに演技させることになる。だから「そうなんだ」と返すに留め、ひたすら技術を磨いた。

基本的に女性は我慢し、演技している。イってないのにイったふり、気にしているのに気にしていないふり。本音を言うより演技をしたほうが楽だからだ。性をサービスにしている風俗嬢はその最たるもので、何百回とセックスしても「一度もイったことない」と答える人も多い。

風俗嬢に限らず、イったふりに慣れてしまった女性は心に壁ができる。「セックスなんてこんなもの」「イかなくても演技するのは当たり前」という常識ができて、心を解放できなくなる。快楽を感じにくくなって、本当に気持ちいいセックスから遠ざかってしまう。だから男はその壁を作らせないように寄り添い、本音を感じ取らないといけない。

俺がナンバーワンセラピストになれた理由

ほとんどの男は女性の本音を感じ取れない。その証拠に、女性用風俗に来るお客様の半分が〝彼氏持ち〟か〝夫持ち〟だ。つまり、パートナーがいる女性の50％はセックスに満足していない。普通の男が女性に寄り添わないから、目の前にいるお客様に寄り添う俺が人気セラピストになれたわけだ。

「性感マッサージのテクニックがあるから人気なんだろう」と思うかもしれないが、

テクニックが身についてきたのは最近の話。デビューしてからの1年半は、YouTube動画やネット記事でエロ情報をインプットしては、お客様に施術しながらアウトプットして、トライ&エラーを重ねていた。

トライ&エラーで成長するコツは、女性と深くコミュニケーションして、反応をよく見ること。俺も最初はうまく読み取れなかったが、今では小さな動きから状態を読み取り、その人に合った流れで性感マッサージを組み立て、進められるようになった。

テクニックは、コミュニケーションの後についてくる。「女性と向き合って悩みを引き出し、丁寧に愛撫する」というコミュニケーションをしなければ、正しいテクニックは身につかない。というのも、女性はコミュニケーションによって満たされる生き物だから、テクニックだけでは気持ちよくなれないのだ。

快感を高めるコミュニケーションについては2章〈p・69～〉を読んでほしいが、ポイントは「できるだけ相手の良いところを探し、すべてを受け入れること」だ。これが人気ナンバーワンの秘訣でもある。

俺はどんなタイプの人とも分け隔てなく接するタイプで、子どもの頃はオタクっぽい友達からイケイケの友達までクラス全員と仲良くしていたが、自信過剰な王様気質で「気に入らねえやつは気に入らねえ」と切り捨てる傲慢さがあった。そういう性格は、セラピストになる前の〝だれにでも手を出すオラオラな口説き方〟に出ていたと思う。

でも、セラピストのリーダーになり教育係を担当するうちに「上に立つ人間がこんなだと良くないよなあ」と当たり前のことに気づき、なるべく人の良いところを見つけるようにした。そしたら、どんな人でもフラットに受け入れられるようになった。今はお客様がどんな見た目でも年齢でも気にならないし（最低限の清潔感は気にしてほしいけど）、どんなに特殊な性癖も「そうなんだ」と受け入れられる。

お客様が何を求めているかを冷静に見極め、与えられるようにもなった。不安な人には安心感を、イきたい人には快感を、さみしい人にはやさしさをあげて、その人にとってのオアシスになれる。その人の状況に合わせて常に最適なものを、必要な分だけ提供できる。

セックス含め、性的なアレコレはかなりプライベートな情報だ。特に女性は恥ずかしがってエロの自己開示ができないので、何事もフラットに受け入れるのが大事だったりする。否定はもってのほかだし、過剰な肯定は嘘っぽい。こうして俺は、長く多く求められる人気セラピストになった。

女性用風俗の劇的ビフォー・アフター

女性用風俗を利用して、信じられないほど変化するお客様もいる。あるお客様は、生理が1年に1回来るか来ないかというレベルの生理不順だったのに、何度かリピートしているうちに、毎月必ず生理がくるようになった。

実は、生理が来やすくなるのは女性用風俗あるあるだ。いつもより早く生理が来て予約日にかぶるケースは珍しくなく、予約日の直前に「ケンジくん、生理が来ちゃった!」と連絡が来ても「またフェロモンかましちゃったか〜」くらいに思っている。

こうした身体的変化が生まれるお客様の共通点は、中イキしていること。中イキとは膣内で快感を得るオーガズムだ。外イキはクリトリスなど外側の敏感な部分で快感を得るオーガズムで、中イキよりもハードルが低い。詳しくは3章**「オーガズムの近道は『オナニーの再現』」**（p・125）を読んでほしい。

中イキのほうが外イキより深く余韻のある快感を得られ、「愛情ホルモン」や「幸せホルモン」と呼ばれるオキシトシンが多く出る。乳の分泌を促すホルモンでもあって、女性らしい体へ導く力があるんじゃないかと思う。

劇的な変化はなくても、女性用風俗に通い出してからダイエットに励んで10キロ痩せたり、美意識が高まって肌が綺麗になったり、男性慣れしてコミュ力が上がったりと、いわゆる〝いい女〟になっていく女性は多い。実際、自分磨きを目的に通っているお客様もたくさんいる。

「女性用風俗」と言うといかがわしいイメージがあるし、もちろんいかがわしいことをするが、美容サロン感覚で使ってもらうのも大いにアリなんじゃないか？

常識を捨てるのがスタート地点

さて、いよいよ本題の性感講習だ。生徒のカンタを招いて、1章ではマインド、2章ではコミュニケーション、3章では基本テクニック、4章では応用テクニックについてレクチャーするが、それらをしっかり吸収するために、まずは常識を捨ててほしい。

なんでかって、世間のエロ常識はAVがベースで、現実とのギャップがありすぎるからだ。もし俺がAVのように性感マッサージをしたら、一瞬で売れないセラピストになる。最初にキスして抱きしめ、ディープキスしながら押し倒して、胸を愛撫して、デリケートゾーンを触って、クリトリスを舐めて、膣内に指を入れて激しく動かして、ペニスを出し入れするピストン運動をしても、女性は気持ちよくならない。すでに性的な信頼関係がある女性なら気持ちよくなれる可能性はあるが、それだけじゃ絶頂にはたどりつけない。

性感帯についても、常識を捨ててほしい。性感帯は乳首やクリトリスやGスポットだけじゃない。正しく愛撫できれば、喉だって性感帯になる。水を飲ませただけでイったお客様もいる。厳密に言うと喉を嚥下する動きを快感に変えたわけだが、やり方次第でそんな魔法みたいなことが起きる。

だから俺は生理中のお客様にも性感マッサージができる。膣を触らなくても、ほかの場所で気持ちよくしてオーガズムまで導けるからだ。「そんなの嘘だ！」と言われるが、性器を触らなくてもアダルトコンテンツを見れば興奮できるんだから、絶頂まで持っていくことも可能だ。

エロの可能性は無限大で、最大限試さないのはもったいない！　間違った常識を引きずっていたら真のエロは作れないから、エロ本もAVも見たことがない、真っ赤なチェリーボーイに戻ったつもりで0から学んでほしい。

さあ、まずはマインドからだ。

なぜ女性用風俗に？

「なぜ女性用風俗のセラピストになったの？」とよく聞かれる。いろいろ理由はあるが、ひっくるめると「一番しっくりきたから」という一言に尽きる。

俺は北海道・札幌で生まれ育った。小さい頃から万人と仲良くするコミュ力おばけだったが、大学では新入生同士のよそよそしい付き合いになじめず、仲良くなる前にフェードアウト。学業そっちのけでバイトに明け暮れ、早々に中退した。

それからはバイト漬けで、居酒屋とメンパブ（男性キャストが女性を接客する飲み屋）を掛け持ちして毎日働いていた。メンパブで酒を飲み、二日酔いのまま居酒屋に出勤して、半分寝ながらキュウリを切る生活。それを1年半ほど続けた。

ある日、とある男性を紹介された。その男性は「札幌で女性用風俗店を立ち上げたいから、マネージャー兼セラピストとして働いてくれないか」と言った。それが札幌秘密基地、そして名古屋秘密基地のオーナーだ。

「おもしろそう」という直感に従い、二つ返事で引き受けた。もともと女性用風俗には興味を持っていたが、当時（2013年）は札幌に女性用風俗店がなくてあきらめた経緯があり、とりあえずやってみようと思った。25歳だった。

野望があったわけじゃない。仕事なんて稼げれば何でもいいと思っていた。どうせこのまま飲食店の仕事で終わるなら、騙されてもいいからやってみよう。エロいことは好きだし、それでお金がもらえるなら万々歳じゃないか、と。

いざやってみたら、挿入はできないし、女心はわからないし、人気も出ないしで、ちっとも楽じゃなかった。だが、それでも続けていたらお客様は増えていった。個人プレイの自由な働き方もしっくりきた。この道を納得いくまで究めてみたい、と生まれて初めて思った。今でも働く目的はお金だけど、お金以外の価値を確かに感じている。

たことは間違いなかった、と思えるようになった。まだまだ道半ばだけど、29歳なりの達成感がある。まだしばらくは女性用風俗の業界で、自分の価値を作っていきたい。

1章

男が陥るセックスの落とし穴

～セックスを制するマインド～

ケンジ：1章では、女性用風俗のリアルなエピソードを交えつつ、エロの基礎になるマインドの話をするよ。さっさとテクニックを知りたいかもしれないけど、マインドこそ基礎！　これまでの間違った常識を捨てるためにも、心に叩き込んでほしい。

カンタ：今日からセラピストになったカンタです、よろしくお願いします！　新人なので、読者目線でたくさん質問させてもらいますね。

男が知らない〝女性用風俗のリアル〟

カンタ：いろいろ教えてもらう前に聞きたいんですけど……女性用風俗に来るお客さんって、どんな人たちですか？　やっぱりすごくエロい？

ケンジ：そういう人もいるけど、そうじゃない人もいるよ。まったく男性経験がない人や、恋愛経験が少ない人もよく来るね。そもそも、男は「女性もエロに興味がある」

って事実を知らなさすぎるんだよな。女性だって普通にオナニーするし、AVを観るし、大人のおもちゃを使うし、風俗にも行くんだよ。

カンタ：じゃあ女性用風俗に行く人も、いわゆる普通の女性なんですね。でも、何をきっかけに女性用風俗に行こうと思うんでしょうか。

ケンジ：ざっくりの体感だと、好奇心や興味でやってくる人が4割、今のセックス事情に不満を感じている人が6割だな。リピートするのはセックス事情に不満を感じている人たちが多くて、女性用風俗で今までにない満足感を得ると長く通ってくれるんだよ。

カンタ：セックス事情って？セックスそのものじゃないんですか？

ケンジ：セックスが気持ち良くないってだけじゃなくて、セックスレスだとか、セックスの求められ方に不満があるとか、セックスそのもの以外の状況や関係に悩んでいる人も多いんだよ。

カンタ：なるほど。

ケンジ：女性用風俗店が急激に増えて浸透しつつある令和に、昭和的なセックスを続けてるから大事なパートナーが女性用風俗にハマっちゃって、セラピストを彼氏感覚で求めるようになったりするんだよ。俺らは繁盛するからありがたいけど。

カンタ：男の知らない不満があるんですね〜。

セックスがトラウマで夫とできない

ケンジ：痛くて気持ちよくないっていう不満はすごく多い。それでセックスがトラウマになっちゃう人もいるんだ。A子さんは、まさにそんなお客様だったよ。

A子さんは、初めての彼氏とのセックスがトラウマになっていた。男本位の強引なセックスをされ「セックスは痛くて気持ちよくない」という刷り込みができてしまったのだ。

そのトラウマをぬぐえないまま、A子さんは別の男性と結婚する。A子さんのトラウマを理解した夫はセックスを強要しなかった。一度もセックスせずに迎えた結婚だった。

やがて二人は「子どもが欲しい」と考えるようになった。A子さんはなんとかトラウマを乗り越えようと、AV男優や性感マッサージ師のもとへ行って施術を受けた。やはり痛い。プロのテクニックを持ってしても、A子さんの膣はかたくなに〝異物〟を拒み続けた。

そして、A子さんは俺のもとへやってくる。俺は「高い性感技術を持った人たちが施術しても乗り越えられなかったということは、肉体じゃなく精神に課題がある」と考えた。「セックス＝痛い」というイメージが脳にこびりついていて、性行為全般が受け入れられないのだ。

こうした心理的ハードルを乗り越えるには、女性に安心感を与え、不安を取り除かなければならない。安心感を与える言葉や行動を重ね、ネガティブな出来事・感情を上書きしていくのだ。

俺は「怖いよね。できなくても大丈夫だからゆっくりやってみよう」とA子さんの不安を受け入れながら、安心できる言葉を伝え続けた。膣口に手を添えて「大丈夫だよ」「痛くない?」「ゆっくりでいいよ」とたくさん声をかけながら、処女に触れるような感覚で、時間をかけてゆっくりほぐしていく。

長年のトラウマを、たった1回の施術で乗り越えようとはしなかった。1回目は小指を第一関節まで、2回目は小指全部、3回目は人差し指。A子さんの反応を見ながら、A子さんのペースで少しずつ慣らしていく。

指を挿れる時にかなりきつく締まっていて、突っ張る感覚がある場所は未開発な部分なので、丁寧にほぐさないといけない。特に入り口が痛くなりやすいから、指を入れるときはしっかりクンニして、小指から少しずつ入れていき、そのまま動かさなかった。指を動かさなくても、胸や首筋など、別の場所を刺激すれば気持ちよくなれるのだ。

もちろん、コミュニケーションも絶やしてはならない。A子さんの体がほぐれていくたびに「お、よかったね！」「すごいね！」とポジティブな言葉を伝えた。A子さんの表情も、少しずつ和らいでいく。

A子さんは、小さな成功体験を積み重ねることで、ネガティブな記憶を上書きしていった。4回目、ついに気持ちよさを感じられるようになったA子さんは「今日、夫としてみます」と微笑み、夫の待つ家へと帰った。

2か月後、久しぶりにA子さんからメッセージが届いた。そこには「妊娠しました」という6文字が飛び込んできた。トラウマを乗り越えたA子さんは、夫とした初めてのセックスで妊娠したのだ。嘘みたいなホントの話である。

ホストの彼氏に放置されて苦しい

ケンジ：安心してセックスできないって女性もいる。リラックスしないと、女性は気持ちよくなれないんだよ。恋愛に疲れて女性用風俗を利用していたB子さんの話をしよう。

躁鬱のお客様には慣れている。ベッドで「あはは」と笑うB子さんは軽い躁状態で、自分のことをよくしゃべった。彼氏がホストで、女性客としょっちゅうデートし、外泊していること。ろくに連絡もなく、大切にされていないこと。今日も外泊でいないこと。不安で眠れないから、睡眠導入剤を飲んでいること。

「だから私も同じことしてやるって思って、しょっちゅうセラピストと会ってるんだ。昨日も別のセラピストと会ってきた。でも、ケンジさんにも会ってみたかったから来ちゃった」

どれだけ女性用風俗を使っても、彼氏が好きだから満たされない。ずっとさみしく、つらい気持ちを抱えているようだった。

「セックスは、イってるかどうかわからない。自分でイくように意識することはできるけど、もしあれでイっているんだとしたら、イくって大したことないんだね」

そう言うB子さんを「とりあえずやってみようか」と促し、マッサージをした。体をじっくりほぐしてから性感マッサージに入ったが、B子さんはくすくすと笑ってしまう。笑って自分の感情をごまかすクセがついているみたいだ。

「笑っちゃダメだよ」

集中するよう言い聞かせ、じっくりと性感マッサージをする。ふと顔を見ると、さっきまでケラケラ笑っていたB子さんの目がうるんでいた。きっと、つらかったことを思い出しているんだろう。マッサージする手を止め、後ろから覆いかぶさるようにそっと抱きしめる。

「こっちおいで、ぎゅーしよう」

正面からも抱きしめ、頭をゆっくりと撫でる。涙がぽろぽろとこぼれ落ちて、シーツにいくつもの染みを作った。

ひとしきり泣き、ようやくB子さんはすっきりしたらしい。涙が止まり、落ち着きを取り戻した。

「よしよし、よくがんばったね」

抱きしめながらキスして、また性感マッサージを始める。1時間ほどの性感マッサージで、B子さんの体は何度も強く反応した。それは、女性がイくときの反応だった。

翌朝、「ケンジさんのおかげでぐっすり眠れた」というメッセージが届いた。彼氏の代わりはできないけど、睡眠導入剤を飲まずとも安心して眠れたなら、呼んでもらった甲斐がある。

ケンジ：この2つのエピソードからわかるのは、女性の心を開くには男のマインドが大事だってこと。自分が思い描いていた反応が女性から返ってこなくても焦らない、怒らない、落胆しない。何が起きてもブレない姿勢が必要だね。

カンタ：極端に言えば、女性がイかなくても動じないってことですね。

ケンジ：そういうマインドを持てていない男に傷つけられる女性って多いんだ。お客様のなかにも、なかなかイかないからって乱暴に手マンされたり、男から「普通はイけるんだけど、おかしいな。変だね」って言われたりして、「私なんて」って劣等感を持つようになった女性はたくさんいるよ。

カンタ：ひどいですね。

ケンジ：俺が「別におかしくないよ。おかしいのはその男だよ」って言うと、その場で泣き出しちゃう人もいる。それくらい傷つけられたら、安心してセックスできるわけないよね。反対にいいセックスをしてきた女性は、最初から安心感を持ってる。だから自分を解放できて、感じやすいんだ。

男女で求めるセックスが違う
～風俗嬢は愛でイく～

カンタ：でも「イくのに安心感が必要」って、正直ピンとこないんです。男って興奮でイくじゃないですか。興奮って、安心と真逆ですよね。

ケンジ：男と女で求めるものが違うんだよ。男は性欲（生理的欲求）でセックスするけど、女は感情（心理的欲求）でセックスするんだ。恋人が〝好き〟だから恋人とセックスするし、恋人が冷たくて〝さみしい〟から浮気相手とセックスする。もちろん性欲でセックスすることもあるけど、根っこにある動機は感情なんだ。感情でセックスするから、心が満たされないと気持ちよくなれないってこと。

カンタ：確かに男はムラッときたときに本能的に浮気するけど、女性はさみしいときに感情的に浮気しますね。

ケンジ：生理的欲求でセックスする男は射精すればそこそこ満たされるけど、心理的欲求でセックスする女性はポジティブな感情を持つことで満たされるんだ。だから心理的欲求を満たす〝安心感あるセックス〟が一番気持ちいいって話になる。心理的欲求を優先する男もいるけど、少数派だね。

カンタ：性欲を発散できればそれなりに満足しちゃうな。男女で構造が違うんですね。

ケンジ：そう。生殖本能として、男はいろんな女性にたくさん精子をばらまいたほうが子孫を残せるけど、女性は一人を十月十日も妊娠するわけで、男みたいに気軽にセックスできない。ちゃんと子孫を残すために、自分や子どもに一生分の愛情をかけられる男を選ぼうとするから、長く続く愛情こそ安心感になるんだよ。

カンタ：そういう生殖本能がセックスの感じ方にもつながっているんだ。

ケンジ：風俗嬢のお客様は、愛情のない男本位のセックスばかりで心理的欲求が満たされてないから、なかなかイけない人が多い。でも体は十分開発されていてポテンシャルはあるから、安心感あるセックスで心理的な壁を壊せたら、めちゃめちゃイく可能性があるけどね。

中イキしていない女性が8割

カンタ：女性がイくのって、やっぱり難しいものなんですか？

ケンジ：外イキはできる人も多いけど、中イキはびっくりするくらいできない人が多い。カウンセリングで中イキできるか聞くと、8割くらいが中イキ未経験だよ。だからイっているように見えても、演技しているケースがほとんどだろうね。

カンタ：えー！　ほとんど中イキできていないんですね。

ケンジ：基本的にはオナニーでイく練習や開発をするから、必然的にそうなるんだよ。

外イキは外側にあるクリトリスを刺激すればいいけど、中イキは自分で触りにくい場所をじっくり触らないといけないからやりにくい。しかも十分に興奮していないと濡れなくて、気持ちよくなりにくい。もともと体質的にイきやすい人とか、オナニーでたまたま気持ちいいスポットを見つけられた人はできるって感じかな。

カンタ：じゃあ、女性が中イキするにはどうしたらいいんですか？

ケンジ：意図的に開発するなら、人に開発してもらったほうがいいね。開発するには男側も知識に基づいたテクニックが必要だけど、テクニック以上に大事なことがある。

カンタ：あ、俺もうわかりますよ。安心感があって心理的欲求を満たすコミュニケーションでしょ。

ケンジ：正解。一番大事なのはやっぱり心の充足感で、安心感があるコミュニケーションなんだよ。それを突き詰めていくと、愛なんだよね。

カンタ：愛！

ケンジ：愛情をかけたスローセックスって言ったらわかりやすいかな？　たっぷり時間をかけて大切にされる〝愛を深めるセックス〟が同じ人とできていたら、大体はいつの間にかイけるようになるんだよ。サクッと終わらせるインスタントセックスだと、何回やっても中イキできないからね。

カンタ：すごい時間をかけて大切にされるセックスが、女性が求めている〝愛を深めるセックス〟？

ケンジ：そうだね。それで女性が「この人ならどんな自分でも受け入れてもらえる、どうなっても大丈夫」って思えたら、リラックスできて感じやすくなる。もう余裕で中イキできちゃうね。

カンタ：じゃあ、男はテクニシャンにならなくてもいいんですか？

ケンジ：テクニックがあるに越したことはないからあとで教えるけど、女性に対して愛情を持った行動ができればそんなにいらないよ。愛情があれば思いやりを持てるだろ？　ゆっくり撫でたり、抱きしめたり、キスしたり、好きだよって伝えたり。手マンとかクンニもじっくりできるから、女性は心身が満たされてものすごく気持ちよくなるんだ。

カンタ：確かに女性が喜びそうですね。

ケンジ：俺がセラピストとしてやっていることも、要はスローセックスなんだよ。愛情と思いやりがある男性がするだろうスローセックスを、前戯だけで再現してるってこと。

カンタ：でも、セラピストのニーズがあるってことは、スローセックスができていない男が多いってことなんですよね？

ケンジ：そのとおり。日本男児的な「言わなくてもわかるだろ」ってスタンスで、愛情表現が足りないインスタントセックスをする男が多いよ。セックスの満足度を上げたいなら、外国人みたいに愛情表現とスキンシップをたくさんしたほうがいいんだ。ふだんから「好きだよ」とか「愛してる」とか言ったり、ハグやキスをたくさんしたりね。そうするとセックス中も愛情表現できるようになって、女性の身も心もほぐれてイきやすくなる。

カンタ：外国人風か〜。ちょっと恥ずかしいですけどね。

ケンジ：ま、慣れだよ。俺もセラピストになる前はできなかったけど、毎日やってたら呼吸感覚で愛情表現できるようになったし。ちゃんと相手を「好きだ」と思うのが大事。その愛情を言葉や行動にして伝えることが、女性が求める〝愛を深めるセックス〟なんだ。

カンタ：改めて「好きだな」って自覚すること、あんまりないですね。そういうのをいちいち考えたりするのが気恥ずかしいっていうか。

ケンジ：男は言葉が足りない。ちゃんと「好きだな、愛おしいな」と感じて、それを言葉に出す習慣をつけたほうがいいね。男は行動で示そうとするけど、女性は言葉も欲しいんだよ。食事をご馳走するとかプレゼントをあげるとかより、1回の「好きだよ」の破壊力が絶大だから。

カンタ：好きだよ……シラフじゃ言えない！

ケンジ：女性に心から気持ちよくなってほしいならやったほうがいいよって話。こういう男女の違いがわかっているだけでもセックスへの向き合い方が変わるよ。最初はお酒を入れて挑戦すればいいんじゃない？

3Pしたい男と怒る女

カンタ：とにかく愛情が大事ってことですね。でも恋人同士なら愛情があるんだから、セックスで心理的欲求を満たせるんじゃないですか？

ケンジ：恋人同士でも、男女の違いをわかってない男は愛情のないセックスをしがちだね。女性の感情を満たさないといけないのに、性欲で押し切ろうとするんだよ。昔、3Pの依頼をしてきたお客様がそうだったな。

カンタ：3P！　カップルからの依頼ですか？

ケンジ：うん。でも彼女は乗り気じゃなかったんだよ。彼氏は寝取りのシチュエーションが好きで、俺から彼女を寝取るってプレイがしたくて俺を呼んだんだ。ところがホテルに行ったら、彼女に「無理無理無理無理！」って全力で拒否された。

カンタ：説得できてないじゃないですか！

ケンジ：彼氏は「セラピストの技術があれば、こんな状況でもイかせられるだろ」と思ってたみたいでさ。俺も彼女の気持ちを考えたら全然気が乗らないよ。でも、彼氏がお金を出してくれたお客様だから、なんとかハグしようとしたら「本当にイヤ！本当に無理！」って言われて。

カンタ：彼女がかわいそうだなあ～。

ケンジ：でも彼氏はスケベ顔で「ケンジくん、いけ！　いけいけ！」って肘で小突いてくるんだよ。やりづれーな！って思いながらなんとか普通のマッサージはしたけど、ハグしようとしたところで「もう、ケンジ、やめてよ！」って振り払われて。もう彼女も俺のこと呼び捨てで、ガチなんだよ。だましだましクンニしたけど、全然ダメだったね。すげーカップルだなと思ったけど、ダブル不倫だったみたいで納得した。

カンタ：不倫か～。にしても、ケンジさんくらいテクニックがあってもダメだったんですね。

ケンジ：そりゃそうだよ、彼女はやりたくないんだもん。なのに彼氏が強行突破したのは、自分と同じ目線で女性を見てるからなんだよ。「エロい状況になればセックスできるはず」っていうの、思いっきり性欲ベースの考え方だろ？　女性は感情で気持ちよくなるってわかってないから、強引なことをしちゃうんだよな。

あれがもしプレイの一環で、二人とも演じていたんだとしたら、見抜けなかった俺はプロ失格だけどね。

カンタ：そんなことあります？（笑）でもそんなトンデモ展開があるって学べてよかったです。俺も動じないようにしなくちゃ！

女性がイけない理由は2種類ある

カンタ：イけない女性が多いってことは、これだけカップルがたくさんいるのに〝愛を深めるセックス〟をしていない人が多いってことなんですか？　それってちょっと切ないですよね。

ケンジ：愛を深めるセックスを重ねればイけるっていうのが前提ではあるけど、イけない理由は身体的要因と心理的要因の2つに分けられる。体か心かってことだね。心理的要因についてはもう説明したからわかるよね？

カンタ：心理的欲求、つまり感情が満たされなくて、安心感がないセックスだとイけないって話ですよね？

ケンジ：そうそう。心が原因でイけない人は「オナニーだとイけるけど、セックスだとイけない」って人が多いね。安心感が足りないから自分を解放できないんだ。相手の前だと緊張したり恥ずかしかったりしてイけないってタイプ。

カンタ：じゃあ、身体的要因は何ですか？　体に何らかの原因があるってことですよね。

ケンジ：2つあって、1つは開発不足。オナニーをしなかったり、セックスの経験が少なかったりして、まだ体が開発されていないからイけないって人がいる。

カンタ：それなら、じっくり時間をかけて開発すればイけるようになりますね。

ケンジ：うん。もう1つは特殊オナニーに慣れていて、セックスではイけないってタイプ。クリトリス周辺を押しつける圧迫オナニーとか、足をピンと伸ばす足ピンオナニーとか、そういう特殊な状態ってセックスだと再現できないだろ？　でも特殊オナニーって大体は外イキだから、指とか挿入で中イキをさせて、興奮度を高めてから外を刺激すれば外イキもできるようになる。

カンタ：外から中ってイメージがありますけど、逆もアリなんですね！

ケンジ：中イキのほうがしやすいタイプなら、外イキさせなきゃって延々と刺激しても効率が悪いし女性もプレッシャーを感じる。外イキから中イキって固定観念は捨てて、先に中イキを目指してもいいんだよ。

カンタ：なるほど。外→中→外って交互に刺激してもいいのか。

ケンジ：これは3章（p・119～）で詳しく説明するから、とりあえず頭に入れといて。

女性が気持ちよくなれない〝NGセックス〟9選

ケンジ：ここまで解説したマインドが持てていないと、女性が気持ちよくなれないダメなセックスになる。あるあるのNGセックスを9つ解説するよ。

NG 30分前後で終わる

時間をかけない射精重視のインスタントセックス。すぐキスして、胸と膣だけ愛撫して、男性器を舐めさせて、挿入して射精したら終わり。それなりに気持ちいいかもしれないが、女性はいきなりデリケートな場所を触られて十分興奮できないまま挿入される形になる。イけるかは女性のポテンシャル次第。

NG AVを再現している

AVのようにいきなりディープキスをしたり胸を揉んだりと、強く激しく刺激する扇情的なセックス。男は興奮するものの、女性は安心感がなくリラックスできない。力加減も全体的に強すぎて、女性は痛みを感じやすい。想像の10分の1くらいの力で触ったり刺激したほうがいい。

NG ディープキスを最初の導入に使う

ディープキスから始まるセックス。口は粘膜だからデリケートで、唇も舌も歯茎も性感帯なので、最初に責めるのは早すぎる。まずは手を撫でたりハグしたりしてスキンシップをして、女性が安心してから触れるだけの軽いキスで焦らし、膣が濡れてきてからゆっくり舌を入れるくらいのタイミングが望ましい。

NG 指を最初から2本入れる

基本的に指1本でイける。女性が物足りないと言ったら2本でいいが、膣が広い女性も入り口は狭いので、最初から2本入れるのは負担が大きい。2本入れるにしても、まずは1本でほぐしてから。

NG「濡れる＝挿入OK」だと思っている

「膣が濡れていたら男性器を挿入しても痛くない」と誤解している。もちろん十分濡れていれば問題ないが、表面だけ濡れている可能性がある。膣の外側が濡れているかだけでなく、膣の内側もねっとり濡れているか指で確認して、しっかりほぐしてから挿入する。

NG 男本位な言葉責めをする

自分がイメージする言葉責めを、自分が言いたいタイミングで言うセックス。女性が受け入れやすい言葉を適切なタイミングで使わないと意味がない。「ここが気持ちいいんだろ?」「イきそう?」などの質問はYESと答えるしかなくプレッシャーになるうえに、NOのときは冷める。「かわいいね〜」「エロいね〜」など男側の感想にして、女性の興奮につながる言葉をかけるべき。

NG イかせるのがゴールになっている

女性をイかせることを目指したセックス。結果としてイくのはいいが、イくのをゴールにすると激しく強くなりがちで、女性にとってプレッシャーになる。女性は〝イくセックス〟より〝愛を深めるセックス〟を求めているため、クンニや手マンをしながら自然な流れで興奮を高めていくセックスのほうが満足度が高く、実はイきやすい。

NG 刺激をどんどん強くする

クライマックスに向けて、射精感覚でどんどん刺激を強くしていくセックス。激しいのが好きな女性以外は強すぎて「痛い」と感じるため、力加減を聞いて「もっと強くしてほしい」と言われたときだけ強くするくらいがいい。女性がいい反応を示していたら、無理に強くせず同じ力・同じスピードで刺激し続けたほうがうまくいく。

NG 積極的に潮吹きさせる

「潮吹き＝気持ちいい」と解釈して、強く手マンして潮吹きさせようとするセックス。「潮吹きは気持ちよくない」という女性が圧倒的に多い。快感を与えたいなら、中イキを伴った潮吹きを目指すべき。きちんと中が気持ちよくなっていれば、潮吹きが精神的な快感になり、より興奮させられる。ちなみに、潮は膀胱から出る薄い尿であり、体質によって出る人と出ない人がいるが、実はほぼ出る。

ブレないマインドとは受け入れる心である

ケンジ：こういうNGセックスをしちゃう男って、大体はマインドがブレてる。自分の思い通りにコントロールしようとするから、無理に力を強くしたり激しくしたりするんだよ。ブレないマインドがあれば、女性がどんな反応をしても受け入れられる。

カンタ：確かに、思ったような反応がないと、内心アワアワして焦っちゃいます。それでついAV的なパフォーマンスセックスに頼っちゃったりするんでしょうね。

ケンジ：男が「どうしよう」って不安になると女性にも不安が伝染するんだよ。女性に気を遣わせて〝感じてるふり〟をさせちゃったりして、どっちも損する結果になる。女性が演技すると、男は間違ったやり方を正解だと思っちゃうからね。

カンタ：だからどんな反応も受け入れるマインドが必要なんだ。

ケンジ：そう。「キミがすごく大切だし、どんな状態でも受け入れるよ」って気持ちこそがブレないマインドなんだ。もっとかみ砕いて行動に落とし込むとしたら、自分がやりたいことよりも相手がされたいことを優先するってことかな。それが相手を受け入れることになる。

カンタ：男がやりたいことより、女性がやりたいことを優先する、と。

ケンジ：男は女性の裸を見るだけで興奮するけど、女性はそうじゃないだろ？　女性は男よりゆっくり興奮していくんだ。なのに男がやりたいことを先にやっちゃうと、男だけ興奮しちゃって女性がついてこれない。女性がやりたいことを優先すれば、女性が興奮していくにつれて男も興奮していって、同じタイミングでお互いにピークを迎えられるよ。

カンタ：なるほど。それは効率的だし、理にかなってますね！

ケンジ：目の前の女性を好きになって、安心させようとする思いやりを持って、それを相手に伝えることで、マインドセットが完了する。最初のうちはちゃんと言葉にして伝えたほうがいいし、何度かセックスしているパートナーだとしても、ハグやキスで愛情と安心感を伝え続けたほうがいいね。

カンタ：まずはそういう行動を実践して、形から入ることで、相手を受け入れるマインドセットができそうですね。

ケンジ：そしたら相手のリアクションが予想と違っても、攻撃したり否定したりしなくなる。うまくいかなかったら「キミをもっと大事にしたいし、二人のために気持ちいいセックスをしたいから、どうしたい？」って真剣に聞けば、女性も素直に本音を打ち明けてくれる。その積み重ねが、もっと気持ちいいセックスにつながるはずなんだよ。

ケンジという子（オーナーA）

「お金貸してください」

セラピストになったケンジが、一言目に発した言葉だ。

こいつマジかよ、と思ったが、気持ちとは裏腹に「いいよ」と答えていた。たまたま持っていた現金を「好きなだけ取っていいよ」と差し出したら、ケンジは「ありがとうございます」と言って50万円を受け取った。結構取ったな。

ここからケンジとの関係が始まった。

◇

「全国展開したいんです。一番遠いところから一気に広げたいので、北海道お願いします」

東京秘密基地の和宮楽会長にそう言われた。

彼の発想はいつもおもしろい。当時はYouTubeで東京秘密基地がバズっていたものの、都内の一部で話題になっただけだった。

「本当に北海道でやれるのか？」と不安がよぎりまくったが、やはり気持ちとは裏腹に「いいよ」と答えていた。

それからは札幌中の知り合いに声をかけ、札幌秘密基地の軸となる人材を求めた。

ススキノで飲食店を経営している知人に「ピッタリの人材がいる」と紹介されたのは、アフロヘアーのひげもじゃだった。

（思ってたのとちゃう…）

そう思いながら、一通り内容を説明した。

すると、ひげもじゃから衝撃の一言が放たれた。

「実は3日前に就職したんです」

「最初に言えや！」

女性用風俗の仕事に興味はあるが、知人からの紹介のためすぐ辞めることはできないとのこと。まあそうだよねってことで、楽しく食事をして終わり……だったのだが。

「辞めてきました」

翌日の電話でそう言われ、はたまたびっくりした。

前から女性用風俗に興味があったらしく「機会があれば」と漠然と思っていた

ところにいきなり話が降ってきて、体中に電気が走ったらしい。

いやいや、昨日は全くそんなふうに見えませんでしたが？

そして札幌秘密基地が誕生し、セラピストの〝ケンジ〟も誕生した。

◇

源氏名を〝ケンジ〟と命名し、「仕事を始めるうえで、何か質問ある？」と聞いたときの答えが、冒頭の「お金貸してください」である。

初めてお仕事する人にいきなりいう言葉じゃないけど、最近の子ってこんな感じなのかな〜？

でもね、最後まで彼に投資するってもう返事もらった時に決めちゃったからね。

貸してあげるよね。

ケンジは、最初のセラピスト試験で不合格だった。

試験担当が答える結果の一言には
「田舎のヤンキーみたい笑笑」

と書かれていた。

その後も散々で、東京での研修から戻って札幌秘密基地をオープンした月の売上はわずか1件。

最初に貸した50万円の返済は「毎月末日に返せるだけでいいよ」という約束だったので
「まあ今月は売上ないし、1万円くらい返してくるのかなぁ…」

なんて思ってたら、ケンジは
「もう一回お金貸してください」

と、まさかのおかわりをした。

予想外の発言に「こいつバカなのかな？」と疑問が浮かんだが、本人の目は真っ直ぐ自信に溢れている。

こいつはバカというよりバカ正直なのかも。お前の自信に俺はかけるよ。そう思った。

その後の活躍は見てのとおりで、何倍にもなって返ってきた。

◇
その後もバカ正直になんでも言ってくる。

そんなこと言ったら怒っちゃうよ？ってことも、バカ正直に言ってくる。

ある日、ケンジから「独立したいです」と相談されて「そろそろそういうの考える時期だよねー」と前向きに話を聞いていたら
「名古屋で自分のお店を出したいです！」

と、はたまた予想外の言葉が飛び出した。

「俺、ここの経営者よ？　ライバル店が増えるだけなのに、簡単にオッケー出すと思うのかな…」

「でも勝手にやったら怒るじゃないですかー。だからなんかうまい方法ないですか？」

「え、それ俺が考えるの？　自分でやるなら札幌じゃないの？」

「またゼロからやるのしんどいです」

「あのね、ゼロからやる覚悟がないと、経営なんてうまくいかないよ…」

「社長を裏切ったり、お店に迷惑かけたりしたくないんです。他でやるのもしんどいです。なのでいい案をください！（キリッ）」

俺は真剣に1か月くらい考えて、ケンジを呼び出したら

「あ、お店出すのやめました！　セラピストを極めることにしました！　がんばります！」

と言われ、拍子抜けした。なんやねん。

まあ、それから全国一位になったんだけどね。

◇

「信用はしてないけど信頼はしてる」

俺が自分の社員に思ってることだ。

以前、某上場企業の管理職をしていたとき、500人ほどの部下がいた。

朝から晩まで一切サボらず働いてるとは思わないけど、共通の目標に対して頑張る気持ちは全員ある。行動は信用できないけど、気持ちは信頼できる。

そう思っていた。

でも、ケンジは都合の悪いこともなんでも報告してくる。
「この子は行動も信用できるし、気持ちも信頼できる子なんだな」
と思った。

お客様が気分を悪くされれば一緒に謝るし、褒められる時も一緒に褒めていただきました。

ケンジとの関係をずっとうまく説明できなかったけど、最近はこのように思います。

「俺の自慢の息子です」

こんな息子、ホントにいたら嫌だけどね（笑）

2章

〝エロいい男〟になるとうまくいく

〜欲情させるコミュニケーション〜

ケンジ：2章では、女性を欲情させる〝エロいい男（エロくていい男）〟になるコミュニケーションのポイントについて、〝いい男〟と〝エロい男〟の2つに分けて解説するよ。妻にしても彼女にしてもセフレにしても、真面目そうな男から急にエロいことをされたら引いちゃう場合もあるから、エロいキャラでいたほうがいいんだ。クリーンなイメージの芸能人が不倫したらめっちゃ叩かれるのと同じ理論で、キャラと行動に一貫性を持たせたほうが受け入れられやすい。

カンタ：エロいキャラだったらエロいことしやすいし、ちょっと真面目なことをしたら〝猫をかわいがるヤンキー〟みたいに「この人、エロそうなのにちゃんとしてる！」って好感度上がりますもんね。エロい男になって欲情させるコミュニケーション、ぜひ教えてください！

いい男①

男からもモテる人間力を持つ

ケンジ：意外かもしれないけど、真のエロ男を目指すなら人間的な魅力があって男女問わずモテる〝いい男〟にならなきゃいけない。女モテするけど男モテしない人って、どんな人だと思う？

カンタ：うーん、女性との予定ばっかり優先するとか？

ケンジ：いや、一番多いのはだらしない男なんだよ。ダメな男にハマる女性ってよくいるだろ？　ちゃらんぽらんでルーズだけど、調子が良くて女性を口説くのに慣れてる男がモテたりするんだよな。

カンタ：あるあるですね。

ケンジ：でも、こういう男がモテるのは若いうちだけ。年齢を重ねるとだんだん痛くなってくるし、もっとイケメンが出てきたらすぐに乗り換えられちゃうから、結局はうまくいかない。人間力がないと、一過性のモテしか得られないんだよ。

カンタ：なるほど〜。どういう人が男からもモテるんですか？

ケンジ：人として好かれるってことだから、信用できる誠実な人だね。他人のせいにしないで、ちゃんと自分で責任を持てる人。自分の損得で動かず、ちゃんと相手を思いやった行動ができる人。こうして言葉にすると、当たり前のことなんだけどね。

カンタ：うーん……職場なら男女問わず好かれたほうがいいですけど、エロ男を目指すなら女モテだけでもうまくいきません？

ケンジ：俺がナンバーワンセラピストになれたのは、人としても好かれたからだ。男としてモテてるだけだったら、もっとイケメンのセラピストがデビューすればそっちを選ぶだろうし、何度もリピートしてもらえない。人として信頼されるから、俺の人間性を好いてくれて、ずっと俺を指名してくれるんだ。代わりが効かないからね。

カンタ：そういえば、色恋営業（客と恋人同士のように振る舞う営業方法）って諸刃の剣って言いますね！　本当にそうなんですか？

ケンジ：うん。別に否定しないけど、相手を依存させるようなものだからお互いに負担が大きいし、本当の恋人じゃないから無理があるんだよな。不安定な関係になるから長続きしにくくて、３か月ぐらいで関係が切れることが多い。偽りの好意が持つのなんて３ヶ月ぐらいだからね。

カンタ：セラピストでも、異性としてモテるだけじゃ安定しないのか〜。恋人同士でもお互いを尊敬できないと長続きしないってことですね。

いい男②

見捨てずにハッキリ伝える

ケンジ：人として好かれることにつながるんだけど、相手を見捨てずにハッキリ伝えるのも超大事。ことなかれ主義で「別に言わなくてもいいか」ってなあなあにするより、ハッキリ伝えたほうがその人のためになるから。

カンタ：えっ、ケンジさんってお客様にもまっすぐぶつかってるんですか？

ケンジ：そうだよ。昔は当たり障りない言葉でやさしく接客していたこともあるけど、それって本当はやさしくないんだよな。性感マッサージを恥ずかしがったり笑っちゃったりするお客様には「気持ちよくなりたくて来たんでしょ？　だったら笑わないで、集中してみようよ」ってことを真剣に伝えてる。

カンタ：あ、熱い…！　熱い男ですね、ケンジさん！

ケンジ：いろいろな人とちゃんと向き合ってると、相手に必要な言葉がわかるようになる。相手が欲しい言葉より、相手に必要な言葉を優先して伝えることで、ポジティブな変化を促せるんだ。

セックスで感じたいなら、自分をごまかさずにさらけ出したほうがいいから、お客様が恥ずかしがって行動できないときに「恥ずかしいよね」って終わりにせず「でもやってみようよ」って背中を押してるよ。それが人としても好かれるセラピストになれた理由。

カンタ：その場しのぎの言葉で丸く収めないってことですね。相手のことを思っての発言だったら、気持ちが伝わる気がします。

ケンジ：ハッキリ伝えるときは、理由もしっかり言うこと。「こういう理由があるから、自分自身のため挑戦してみよう」って意図を、ちゃんと伝わるまで説明する。押しつけにならないように、相手に寄り添いながら言うのがポイントかな。たとえば性感マッサージに集中してほしいときは「気持ちよくなりたいから、俺に会いに来てくれたんでしょ?」って確認をして、行動するべき理由を伝えるよ。

カンタ：そこまで言ってくれる人はなかなかいないですよ。ちゃんと意図が伝われば、唯一無二のパートナーになれますね。

いい男③ 悪いギャップを見せない

ケンジ：よく「ギャップがあるとモテる」って言うけど、モテるのはいいギャップに限った話。どちらかというと悪いギャップを見せないほうが大事なんだ。特に男は。

カンタ：どうして「特に男は」なんですか?

ケンジ：狩猟本能がある男は女性を落とすまでが一番の山場で、最初に100点を出し切っちゃうんだよ。そうすると、あとは減点方式になって悪いギャップが生まれて、女性が「釣った魚には餌をやらないのね」って落胆するわけ。

カンタ：耳が痛い話だなあ……。

ケンジ：だから悪いギャップを〝見せない〟のが大事。熱量が変わっていたとしても、できるだけ態度に出さず、同じ行動を続けるように心がける。

カンタ：それがムズいんですよ～。

ケンジ：そんな男におすすめの裏技が、ベッドの上でとことん甘くやさしくすること！　ふだんは気乗りしなくても、セックス中なら甘やかしたりやさしくしたりして「好き！　好き！」って愛情表現しやすいだろ？　相手も盛り上がるし、悪いギャップを相殺できる。

カンタ：シラフだと恥ずかしいことも、ベッドの上ならやりやすいですね！　まさにエロいい男になれる気がします。

ケンジ：あと、誰に対しても紳士でいること。どれだけ女性にやさしくしても、店員さんに横柄な態度を取っていたら悪いギャップになる。ふだんから気遣いできる人間になることが何よりも大事だと思うよ。逆に、俺がお客様に怒ったこともあるしね。

カンタ：え！　何があったんですか？

ケンジ：ラブホテルでお客様がフロントに電話したとき、かなりきつい言葉遣いだったから「なんでそんな横柄な態度取るの？」って言ったんだ。お客様には「ふだん私がお客様にこういう言い方されるから、その反動で自分もしちゃうんだと思う」って言われたけど「だとしても、俺はそういうの嫌だな」って伝えたら、反省して直してくれたよ。

カンタ：おお、さすが……。「接客するセラピストなのに、忖度しないでちゃんと叱ってくれる」っていう〝いいギャップ〟になりますね。

ケンジ：悪いイメージから入って、いいギャップでだんだん加点していくのは少女漫画あるあるだよね。俺の見た目ってガラ悪いほうじゃん。クリクリの天パで、髭生えてて、派手な服着ててさ。

カンタ：後輩としてはなんとも言いにくいですけど……そうですね。

ケンジ：な？　だからちょっと親切にしたりドジしたりすると、コワモテの見た目とのギャップが生まれて「かわいい～」って言われるんだよ。「ね～ね～、あのさ～」って話しかけただけで「ケンジくん、そんなこと言うの⁉」ってびっくりされて、勝手に好感度が上がるし。

カンタ：母性をくすぐるんだろうな～。

ケンジ：そうそう。俺みたいな見た目は万人受けしないからおすすめしないけど、悪いギャップを見せずにいいギャップを見せられるとすごく強い。背伸びせず、等身大の人柄で全員と仲良くする〝かわいげ〟があると、いいギャップを作りやすいよ。特に俺みたいな雄々しい男は。

カンタ：男っぽい見た目ならかわいげを、かわいらしい見た目なら男らしさを出すといいギャップになるんだな。俺はかわいい見た目だから、男らしさを出せるようにしよ！

ケンジ：自分の客観的なイメージをしっかり受け入れて、そこからギャップを作るのがベストだよ。

いい男④ 肉体と精神の自信を作る

ケンジ：いい男には自信が欠かせない。自信は選ばれた人だけが持つ先天的な才能じゃなくて、日々の努力で培う後天的な能力なんだよ。自信がない人ほど何もしてないんだよな。

カンタ：自分の行動次第で自信は作れるのか。たとえばどんな努力をしたらいいいんですか？

ケンジ：男としての自信を持ちたいなら、形から入るほうが楽だね。筋トレすれば男性ホルモンのテストステロンが出て男らしい体格になる。家でもやりやすい腕立てとスクワットがおすすめだよ。

腕立て

両手を肩幅よりやや広めにして床につき、腕立て伏せの姿勢に。視線を前に向けたまま肘を曲げ、胸が床につく直前まで下ろす。一呼吸置いてからもとの姿勢に戻る。

スクワット

足を肩幅に開き、つま先はまっすぐ前に向ける。膝が最初の位置から前に出ないようにお尻を後ろに引きながら、太ももと床が平行になるまで腰をゆっくり落としていく。立ち上がるときは速く。これを10回×3セット行う。

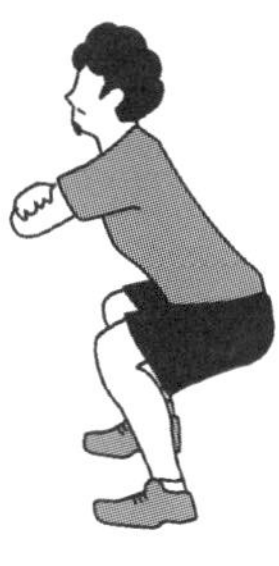

カンタ：俺、体型には自信があるんですけど、ファッションには自信がないんですよ。

ケンジ：だったらマネキン買いすればいい。真似しているうちにファッションセンスも身についてくるからさ。ついでに美容院でかっこいい髪形にしてもらったりして、最初は人に頼ったほうがいいよ。それで見た目に自信が持てるようになったら、自然と堂々とした振る舞いができるようになって、精神面も男らしくなるから。

カンタ：ほかに、精神的な自信を持つためにしたほうがいいことってあります？

ケンジ：話し方とかコミュニケーションの本を読むのは実践的だし、マインドに落とし込めるエッセンスがある。この本も男としての自信を持つのに持ってこいだけど、読むだけだと1割くらいしか吸収できないから、意識的にアウトプットしないとね。

カンタ：アウトプットというと？

ケンジ：女性とコミュニケーションしまくること。俺も毎日お客様に接客して失敗しながら学んでいった。何度も繰り返し反復練習することで初めて自分のスキルになるから、失敗を恐れずに試さないとね。

カンタ：失敗の先に自信があるんだなあ。俺もお客様に育ててもらおうっと。

ケンジ：見た目にしても中身にしても、何かしら努力して変えることで「モテるために何が必要なのか」が学べる。前の自分より絶対いい男になってるわけだから、それを積み重ねていけばいいんだよ。

いい男⑤ 寄り添って心の壁を取り除く

ケンジ：どれだけ男が自信を持っていても、ガードが堅い女性や緊張しやすい女性はそう簡単になびかない。心の壁が厚いんだ。セックスする前の〝最後の一押し〟をいかにうまくやるかが肝になる。

カンタ：口説く段階だと、そこが最大の山場ですよね。

ケンジ：女性から良い反応がないのにエロい展開に持っていこうとしても、拒絶されて玉砕する。何かしらの糸口が見つかるまでは、とにかく話し続けること。女性から好感触の反応が返ってくるまで、いろんな質問を無理してでも投げ続ける。

カンタ：金脈を掘り当てるまで、ひたすら新しい話題を提供するわけだ。

ケンジ：この段階で間ができると気まずくなるから、間ができないようにしゃべるのも大事だね。まだエロいコミュニケーションがしにくい状態なら、無理にムードを作らなくていい。ちょっとふざけたりしながら明るく楽しい雰囲気にして、打ち解けてもらおう。

カンタ：笑いを取りにいくくらいのテンションですね。

ケンジ：それでちょっとでもいい反応があったら、そこを深ぼったり煽ったりして盛り上げる。笑ってくれたら心のガードがゆるくなって、一気に打ち解けられるからね。

カンタ：深ぼるために、いろいろな会話の引き出しを持っておかなきゃ。

ケンジ：好きな食べ物とかスポーツとか平凡な日常会話でいいよ。日常会話が盛り上がらなかったら、めちゃくちゃ気を遣ってやさしくする。おしぼり渡したり、料理を取り分けたり、「寒くない？」とか「お手洗い大丈夫？」って聞いたり。

カンタ：デキ女ならぬデキ男だ！

ケンジ：男でそこまで気を遣える人って少ないから、結構感動してくれたり喜んでくれたりするよ。やさしさには心を開く力がある。トーク力が足りなかったり会話が厳しかったりしたら、ホスピタリティで補おう。

エロ男①

脱力感で余裕と色気を出す

ケンジ：よし、ここからはエロ男の条件だ。余裕がある男はモテるって言うだろ？そのとおりなんだけど、エロさを出すには脱力系の余裕が必要なんだ。ガツガツしていない、ゆるっとした余裕が色気になる。

カンタ：ああ、なんとなくわかります。スマートというより、少しだらしない感じの余裕っていうか。

ケンジ：肩の力を抜いているほうが女性も気構えずにリラックスできるし、男の色気も出る。話すときもハキハキしゃべらず、ゆっくり抑えめでしゃべるんだ。

カンタ：確かに前のめりに「ホテル行こうぜ！」って誘うより、椅子にゆったり腰かけて「ホテル行かない？」って言ったほうが刺さりそうですね。

ケンジ：そうそう、背もたれに寄りかかって足を開き、ちょっと悪い姿勢で座るくらいがエロい。女性側に身を乗り出すにしても、背筋を伸ばしてグイッと近づくんじゃなくて、カウンターに頬杖をついて近づくほうが色っぽいんだ。まっすぐじゃなくて、斜めの姿勢を意識するといいね。

カンタ：なるほど！　綺麗な姿勢って緊張感あるから、エロに向いていないんだ。

ケンジ：だらっと脱力した姿勢でありながら、相手の目はじっと見つめたまま離さない。そしたら相手は俺のペースに飲み込まれて、手のひらの上なんだよ。

カンタ：それはゾクゾクしちゃいますね。ちょっとお酒を入れたほうがやりやすそうだな。

エロ男②

欲情させるコミュニケーションをする

ケンジ：脱力系の余裕は湿度の高いコミュニケーションから生まれる。しっとりしたムードを作れるんだ。

カンタ：まさにエロ男のコミュニケーションですね。詳しく教えてください！

じっと見つめる

ケンジ：まずは目線。エロごとにおいては、女性をエロい目で見るっていうのが大事なんだよ。恋愛対象外の男からエロい目で見られるのは不快だけど、興味がある男や好きな男からエロい目で見られるのはドキドキするんだ。

カンタ：エロい目で見るって……ねっとりした感じですか？

ケンジ：男ってそんなに人を見つめたりしないからさ、ただじっと見るだけでも効果あるよ。相手が目をそらしても、まっすぐ見続ける。

カンタ：えー、変質者っぽくなりません？

ケンジ：そこで自信と余裕が必要になる。「これからじっくり食べてやるぞ」っていうエロハンターのつもりで、「キミより少し優位に立ってるぞ」と感じさせるような含み笑いができるとベストだね。

カンタ：うわー、勇気いるな～。

ケンジ：それが難しいなら、手を握るといい。女性の手を上から覆うように握って、視線を手に落とす。そしてゆっくり手をさすりながら、視線を徐々に上げていって……目を合わせる。

カンタ：うわ、めっちゃエロい！　練習します！

低めにゆっくり話す

ケンジ：脱力系の余裕にもつながるけど、低めにゆっくり話す男はエロい。感覚としては、語尾を少し伸ばす感じかな。声に余韻が生まれて色気が出るんだ。もし女性が緊張してたらフレンドリーな明るい話し方でほぐして、口説くタイミングでトーンを下げるのもアリ。いいギャップを作れるからね。

カンタ：高度なテクニックだな〜。低めにゆっくり話すコツってありますか？

ケンジ：やさしく聞こえる語尾を選んで、やわらかく話すことだね。男友達と話すときに「〜だろ」って話すとしたら、女性には「〜だよね」とか「〜でしょ？」って話すんだ。あと、語気にも気を付けたほうがいい。

カンタ：語気って？

ケンジ：言葉の勢いのこと。男って女性より声が強いから、女性からすると怖く聞こえるときがある。音にびっくりして萎縮しちゃうんだよ。男友達と話すときの半分くらいのボリュームで、やさしく話すといいね。

カンタ：とにかくやさしく、ですね。対女性の話し方に慣れなきゃ。

ケンジ：「声がエロい」ってよく言うように、エロい話し方をマスターすれば声だけで女性を興奮させられるし、脳イキに導くこともできる。声で前戯ができるようになるんだ。

カンタ：体に触れなくても、声だけでイかせられるんですか！？

ケンジ：声だけで脳イキに導くには女性側の素質も必要だけど、より興奮させたいなら聴覚へのアプローチはかなり有効だよ。どんな体勢でも声は使えるから、セックス中の快感を底上げできる。セックス中は特にゆっくりだらしなくしゃべって、語尾を低めに伸ばすのがコツだね。耳元でやさしく弱く言ってみな。

カンタ：うう、早く試したい！

褒め言葉で口説く

ケンジ：低くゆっくり話せって言ったけど、「何を話すか」も同じくらい重要。エロい声でしょうもないこと言っても、女性はときめかない。基本的には褒めて、女性を立てよう。

カンタ：褒めて口説くって感じですよね。セックスに持っていく前の助走っていうか。

ケンジ：いきなりベッドの上でおっぱじめてもエロくないからね。何も褒めず口説きもしないで「じゃあやろっか」なんて横暴でしかない。飲食店でも家のソファでもいいけど、ベッドに行く前に女性を褒めて愛情を伝えることが〝エロい雰囲気づくり〟になるんだ。

カンタ：確かにいきなり「やろう」じゃ情緒もへったくれもないですね。女性にも断られそうだし。どんな褒め言葉がいいですか？

ケンジ：正直に思っていることを言うのがベターだから、女性を前にして感じたことや、いいなと思うポイントをそのまま伝えるのがいい。身体的だけどエロと関係なさそうなところから褒めていくのが、意外とエロいムード作りになるんだよ。「ネイルかわいいね」とか「髪さらさらだね」とか「良い匂いだね」とかね。

カンタ：服装やカバンを褒めても、エロからは遠くて流れが作れないですもんね。

ケンジ：そうだね。体のパーツを褒めつつ、そのパーツに触れたり撫でたりして、少しずつエロい展開に持っていくとスムーズだよ。

手から触っていく

ケンジ：いよいよスキンシップだ。さっき見つめながら手を握るのがいいって言ったように、まずは手から触っていこう。「手、綺麗だね」って褒めながら、自分の指で相手の指をさすったり、ゆっくり絡めるようにして手を繋いだりすると、だんだんエロくなる。

カンタ：手をつないでるだけなのに、エロい！

ケンジ：手をつなぐところから前戯は始まってるんだよ。やさしく添えるように触って、ゆっくり握ったりさすったりしながら「手、気持ちいいね」って言って、女性をじっと見つめる。そのまま抱き寄せたりしてね。

カンタ：なんてスムーズな導入なんだ……。

ケンジ：ここで胸とかおしりを触るのは早すぎる。肩を撫でたり頭を撫でたりして、ライトな場所へのスキンシップを続けよう。抱きしめて「いっぱいハグしようね」って言ってもいい。この時点ではまだ女性も恥ずかしがってるから、短い会話を重ねながら少しずつ緊張をほぐしていく。

カンタ：初対面でも、こういう接し方なら安心してもらえそうですね。

ケンジ：ライトなスキンシップをじっくりすることで、どんな触られ方が好きなのかとか、どのあたりが性感帯なのかとか、ちょっとずつ摑めてくる。なんとなく予想できたら愛撫しやすいし、エロい提案もしやすくなるよね。スキンシップしながら関係性を作るつもりで、ゆっくりスキンシップしていくんだ。

カンタ：うーむ、まさに欲情させるコミュニケーションだ。

エロ男③ 自分から〝エロ開示〟する

ケンジ：親密な距離感まで持っていけたら、次は女性の心を解放させるエロいコミュニケーションで感じやすい状態にしていく。女性だって「中イキしてみたい」とか「こういうプレイがしたい」とかの願望が潜在的に眠ってて、それを引き出すのが自己開示ならぬエロ開示なんだ。

カンタ：エロ開示ってめちゃくちゃ難しそうですね。

ケンジ：ここで、1章で解説した〝愛情を持って受け入れる姿勢〟（p.58「ブレないマインドは受け入れる心に宿る」）が効いてくるんだよ。「この人なら何を言っても愛情を持って受け入れてくれる」って安心感があれば、エロいことも打ち明けやすくなる。そのうえで質問して、エロ開示してもらうんだ。

カンタ：どんな質問をするんですか？

ケンジ：セックスに関する質問だね。「どんなプレイが好き？」「どのへんが性感帯なの？」とか。女性が言い淀んだら好きか嫌いのサインだから「こういうのがやりたいの？」「これは苦手？」って追い質問すると、「実は……」って本音が返ってくるよ。

カンタ：経験の少ない女性や恥ずかしがりやの女性だと、それでもエロ開示できなくないですか？

ケンジ：そういうときは、先に男がエロ開示をして、相手が話しやすい状況を作る。俺はお客様のイきやすい体勢とか性的趣味を知るためにオナニーについて質問するんだけど「どんなオナニーしてるの？　俺は椅子に座って足をピンと伸ばしてオナニーしてた時があるよ。足ピン気持ちいいよね」とか「オナニーのおかずは何？　俺はAVじゃ興奮できないから、ガチっぽいハメ撮り見るよ」とか言って、自分の話を先にしてるよ。

カンタ：そこまで言ってるんだ！　相手の秘密を聞くと「せっかく打ち明けてくれたんだから、自分も言わなきゃ」って思いますもんね。秘密の共有みたいな。

ケンジ：セックス中も男からエロ開示したほうがいいよ。男が「好きだよ」とか「気持ちいい」とか「こうしたいんだけど、いい？」とかってストレートに伝えることで、女性も本心を伝えやすくなるんだ。何かやりたいプレイがあるときも、好きって感情を先に伝えてからエロい提案をしたほうがOKをもらいやすい。

カンタ：セックス中ってエロモードになって下世話なことを言いがちだから、愛情を持った言葉選びを意識しないとですね。

ケンジ：女性の立場からしたら、エロいことばっかりストレートに伝えられても気持ち悪いし、「体だけ求められてるのかな？」って不安になる。先に「好きだよ」とか「かわいいね」とかで愛情を伝えてから、「ここがエロいね」「こういう体位でやってみよう」とか言ったほうが受け入れやすいよね？　愛情を伝えるフェーズでは、男もニャンニャンしていいんだ。

カンタ：ニャ、ニャンニャン……！　甘えるってことか。

ケンジ：猫なで声で「気持ちいいね～」とか「かわいいね～」とか言ってかわいがる感じ。日常生活でやったら引かれる可能性が高いけど、プレイ中は愛情表現として受け入れられやすいし、喜ぶ女性が多いんだ。子どもやペットをかわいがるくらいのテンションで、やさしくやわらかく話すのがコツ。思い切ってやってみると気持ちいいよ。

カンタ：男も自分を解放できるからですか？　猫なで声で話すって、普通だったら恥ずかしいもん。

ケンジ：そう。男だって本当は甘えたいとか、思い切りだらしなくなりたいとか、そういう願望があるからね。猫なで声でかわいがるのは、女性をかわいがりつつ甘えた気持ちになれる一石二鳥のテクニックなんだよ。

俺も最初は恥ずかしくてできなかったけど、回数を決めて「とりあえず1回やってみよう」「1回できたから、次は2回やってみよう」って少しずつ増やしていって、だんだん慣れたから大丈夫。

カンタ：男ってプレイ中は無口になりがちだけど、女性の心を開くにはもっとしゃべったほうがいいんだな。肝に銘じます。

ケンジ：恥ずかしいことを言ってほしいなら、まずは自分から言わないと。先に自分のエロ語りをしてから「○○ちゃんはどう？」って普通のテンションでサラッと聞くぐらいがいいよ。変に遠慮すると、女性も構えちゃうから。

エロ男④

質問攻めで"エロ願望"を引き出す

カンタ：「○○ちゃんはどう？」って聞いても答えてくれなかったらどうしたらいいですか？　すごくアブノーマルなプレイが好きだったら、最初のうちは言えなさそうだなって。

ケンジ：そういう女性には何度も質問するよ。こっちが質問したときの反応に違和感があったら、そこが深掘りするべきポイントなんだ。「ちなみに、そういうプレイは好きなの？」「好きじゃない？」「やったことある？」って質問攻めすると、大体は答えてくれる。「未経験だけど興味があるかも」とかね。

カンタ：「ここだ！」ってところで切り込んでいくんですね。どんな反応があったら深掘りするべきですか？

ケンジ：返事するまでに少し間があったり、目線が泳いだり、曖昧な返事で濁したりしたら、何か答えたとしても本音じゃない可能性が高い。近くで目つめながら「本当？」ってやさしく聞いたり、ガードが固かったら「マジマジマジ？」みたいに砕けた感じでグイグイ聞いて、エロの本音を引き出すこと。

カンタ：タイプ別に質問攻めのレパートリーを作っておくとよさそうですね。控えめな女性だったら「本当？」って聞いて、ノリがいい女性だったら「マジマジマジ？」って聞くっていうふうに。

ケンジ：それでも相手がごまかそうとしたら、曖昧な言葉で逃げないように「YESかNOで答えて」って2択に絞る。女性ってなんだかんだ強引に押されるのが好きだから、ここまで問い詰めたら大体は素直になってくれて、セックス中もリードしやすい関係性を作れる。たまに俺のやり方って尋問だなあって思うときもあるよ。

エロ男⑤

セックス部のコーチになり、自信を持たせる

ケンジ：男が女性をリードするには、自分のペースに巻き込んでヤる気を引き出すスキルも必要。心の壁を取り除く段階では〝間〟を作らないほうがいいと伝えたけど、心の壁を取り除いてからセックスを始めるまでは〝間〟をうまく使ったほうがいい。ばーっと話して、ふと黙って、また普通に話し出して……って流れで、会話に緩急をつけるんだ。

カンタ：ちょっと意表を突かれますね。女性はどんな反応をするんですか？

ケンジ：驚き半分おもしろ半分になるんだけど、この2つの感情を持ってもらうのが大事なんだよ。想定外の行動をされると「この人、何を考えているんだろう？」って疑問が生まれて、改めて相手に興味を持つ。その瞬間が女性の懐に入り込むチャンスなんだ。ただ、変に緩急をつけすぎると不信感を与えるから、絶妙なバランスでやら

ないといけないけどね。

カンタ：となると「何を話すか」が重要ですよね？　緩急をつけてどうでもいいことを話したら「何なの？」って思われそうだし。

ケンジ：いい質問だね。緩急をつけて自分のペースに巻き込むときは、〝セックス部のコーチ〟くらいの感覚でポジティブな言葉をかけてほしい。女性がポジティブになれば、大体のセックスはうまくいくからね。

カンタ：どうしてですか？

ケンジ：女性がポジティブになると積極的にコミュニケーションしてくれて、男は女性優先のセックスがしやすくなって、女性側の反応がよくなって、男もそれを見て興奮して、お互いに満足するセックスができるんだ。セックスは共同作業で、女性がうまく受けてくれたらどんどん質が上がっていく。

カンタ：プラスの循環が生まれますね。女性にポジティブになってもらうために、ケンジさんはどんな会話をしてますか？

ケンジ：俺は熱量が高いから、思い切り盛り上げちゃうね。何かやってほしそうなことがわかったら「じゃあやってみようよ！一緒にがんばろう‼」って手を取って天高く突き上げたり、握手したりして、焚きつける。

カンタ：まさにセックス部の熱血コーチですね（笑）それでポジティブになってもらえます？

ケンジ：トラウマがある女性や自信がない女性は、ネガティブな思い込みを取り払うのに時間がかかるから「そんなに心配しなくて大丈夫だよ、簡単だからやってみよう。絶対にできるよ！」って励まして「できるかも」って思ってもらえるまで背中を押すのがポイントだね。

カンタ：でも俺、ケンジさんみたいにテクニックがあるわけじゃないから「絶対にできる」って言い切るの不安ですよ～。

ケンジ：もしその日にできなかったとしても「今日はこんなことができたね。継続すれば絶対できるよ！」って言い切って、長期的な目標にすれば大丈夫。男だけじゃなく女性も「できなかったらどうしよう」ってプレッシャーを感じているから、お互いに気持ちが軽くなるよ。

カンタ：確かに「絶対大丈夫！」って言い切ってくれるコーチにはついていきたくなりますね。

ケンジ：あとは具体的なアドバイスをすること。俺がよく話すのは〝気持ちよくなりやすい体勢〟で、恥ずかしいと背中を丸めて縮こまっちゃうけど、胸を張ったほうが刺激を感じやすいんだ。口頭だけで伝えるのは難しいから、俺がベッドの上で実際の動き方や姿勢を見せて教えてるよ。

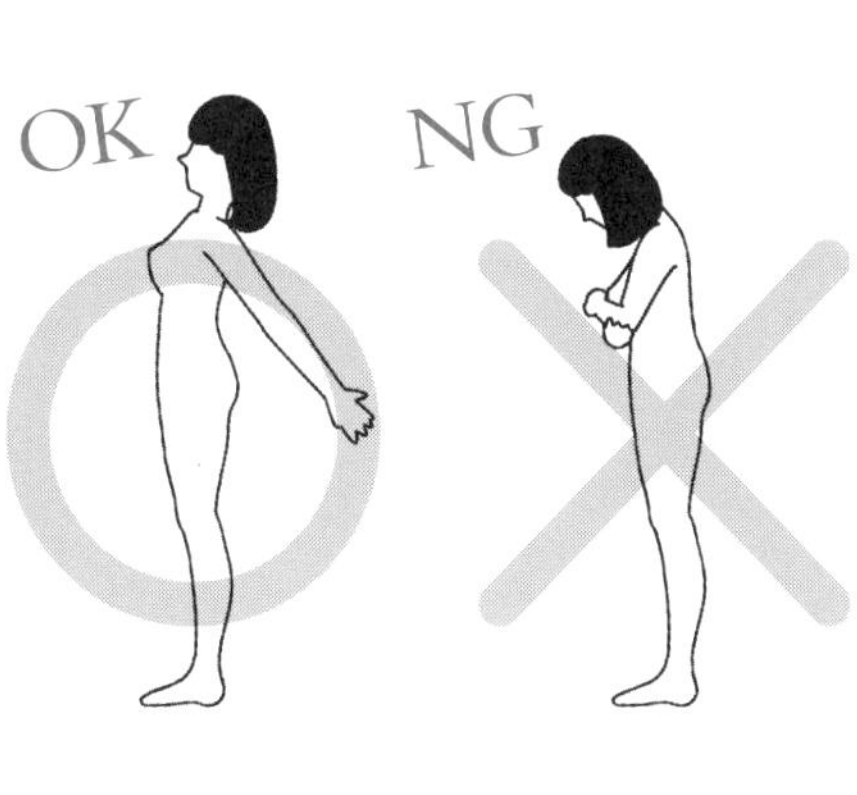

カンタ：施術前のカウンセリングでそこまで教えるんですか！　最高の指導者だな。

ケンジ：うん。セックス中に「こういう体勢になってみて」って促してもいいけど、先に教えると「この人はすごく知識があってうまいんだろうな」って信頼されて、最初からこっちのペースに乗ってくれるよ。

エロ男⑥

女性の〝エロスイッチ〟を押す

カンタ：それでもこっちのペースに合わせてくれない場合はどうすればいいですか？　おしゃべりな女性とか積極的な女性は、ずっと自分のペースで話し続けるイメージがあって。

ケンジ：最初のうちは相手のテンポに合わせて、スキンシップで〝間〟を作ってからこっちのペースに移行させる。女性が一通り話しきったあたりで手を握って「うん、わかった。ありがとう」っていったん小休止させて、それでも向こうが止まらなかったら「そろそろハグしたいな」「キスしてもいい？」って聞いて、ムードを変える。

カンタ：ドキッとさせる一言を伝えるの、いいですね。自然に切り替えられそう。

ケンジ：うん、ときめく言葉でエロスイッチを押すんだ。セックス中も女性の動きが速すぎたら「ゆっくり動いて」ってやさしく言う。うつ伏せから仰向けになるタイミングで勢いよく回転する人もいるんだけど、それじゃあエロい雰囲気にならない。手を添えながら「ゆっくり仰向けになってね」って伝えてこっちのペースに合わせてもらうことで、だんだんエロくなる。

カンタ：プレイ中に恥ずかしがって笑っちゃったり、身が入らなくてぼーっとしちゃったりする女性には何を伝えたらいいですか？

ケンジ：「どんなに刺激しても冷静な気持ちでいたら濡れないでしょ？　俺がどれだけ一生懸命やっても、キミが集中してくれなかったら気持ちよくならないんだよ。頑張って気持ちよくなることに集中して」って話して、エロくなる必要があるって自覚させる。特に恥ずかしがって縮こまっちゃう女性には説得が必要だね。

カンタ：本当に気持ちいいときって表情が崩れるし、変な声が出たりするし、体が思い切り動くから、さらけ出すのに抵抗があるんでしょうね。

ケンジ：そういう反応を制御すると、感度が下がっていいセックスができない。「俺はそういう反応をたくさん見てきたし、むしろ感じて乱れている姿がすごくいいから、恥ずかしがらずにさらけ出していいんだよ。そのほうが気持ちよくなれるし、俺もうれしいから」って真剣に説得すると、女性のエロスイッチが押されて、少しずつ自分を出してくれるようになるよ。実際、男って乱れた女性に興奮するしね。

カンタ：それだけ真剣に言えば愛情が伝わって安心するだろうな。

ケンジ：そう、ここでも愛情を伝えるのが大事。相手の目をまっすぐ見て「気持ちよくなってほしいし、俺もキミのそういう姿が見たいんだ」ってちゃんと話すことで愛情が伝わって、セックスに本気で向き合ってくれる。エロい提案は女性をヤる気にさせるエロスイッチだから、真剣に相手を思って指導する〝セックスコーチ〟くらいの熱量を持って伝えてほしい。

ケンジ：「どんな体勢ならイきやすいの？」ってエロい質問をしたり「今日は拘束プレイをしようよ」ってエロい提案をするとき、ヘラヘラしていたらただのスケベ男になっちゃうだろ？　女性が「男の願望を一方的に押しつけられる」と感じるリスクがあるから、エロいことほど真剣なトーンで話すべきなんだ。

カンタ：うわー、若かったころの自分がフラッシュバックして耳が痛い……。エロい話をするときって、気恥ずかしくてつい笑ってふざけちゃうんだよな。

ケンジ：俺は最初のカウンセリングで「利用の目的は何か」「性感帯はどこか」「SかMか」「好きなプレイはあるか」「イったことはあるか」「中イキか外イキか」とか、道端で聞いたら即セクハラになるようなエロい質問ばっかりするだろ？　ましてや初対面なのに、ふざけた感じで聞いたら、女性はとても心を開く気にはならないよ。相手の緊張をほぐすためにあえてふざけるならいいけどね。

カンタ：普通の男女関係でもふざけちゃダメですね。

ケンジ：エロに限らず、大事な話は真剣に伝えないといけない。セラピストほどつっこんだ質問はしないにしろ、エロいことを食い入るように話されたら女性は怖いだろうから、真剣度を伝える行動を取るのがベターだよ。

エロ男⑦ セックスの〝ゆるいエロ目標〟を共有する

カンタ：真剣度を伝える行動？　たとえばどんなのですか？

ケンジ：やりやすいのは、2回目以降のセックスでゆるいエロ目標を作ること。「目隠しを使ってみたい」とか「拘束プレイをしてみたい」って女性は多いから、さっき説明した質問攻めで女性の本音を引き出して（p・100）「じゃあそれをやってみて、いっしょに気持ちよくなろうよ」ってリードしてあげればいいんだ。女性はモノゴトを共有することで親密感を抱くから、目標の共有は心の距離を近づけるよ。

カンタ：自分がしたいことならエロへの挑戦心が持ちやすいし、同じ目標を持つことで一体感も生まれそう。

ケンジ：あとはちゃんと説明すること。施術前に「カウンセリングなんて受けたくない」って言ったお客様がいたんだけど、施術のクオリティを保つにはカウンセリングは省けない。「じゃあイけなくてもいいの？」って聞いたら「イきたいに決まってるじゃん」って言う。「だったらカウンセリングしようよ。どんな体位が気持ちいいのか、どんな受け方をすれば気持ちよくなりやすいのか、俺も頑張って考えるし教えるから。だから一緒にやってみよう」って真面目に説得して、カウンセリングしてもらったんだ。

カンタ：真面目に説明して、女性のヤる気を引き出したんですね。

ケンジ：普通のカップルはカウンセリングしないけど、ベッドでの会話で「キミに気持ちよくなってほしいからこうしてほしいんだ」って伝えれば、「だったら私も頑張ってみよう」ってモチベーションを持ってもらえるよ。

カンタ：シンプルに「気持ちよくなろう」って言うのもゆるいエロ目標になりますもんね。具体的なプレイ内容じゃなくてもいいなら、どんな女性でも目標を共有できそうです。

ケンジという男（スタッフK）

「俺、ケンジとして女性用風俗で働くことになった」

……何を言っているんだと思った。

知り合って5年目、変なやつだとは思っていた。僕の誕生日に自分の全裸写真がプリントされた手作りTシャツを寄越してくるような男だ。もちろん捨てた。居酒屋でお酒も入っていたから「また変な冗談話をしているんだろう」と思ったが、ケンジはいつになく真剣な表情をしていた。本気だったのだ。

◇

ケンジに出会ったのは彼が大学生、僕が社会人だった夏。共通の友人に紹介されてから、酒飲み友達として付き合うようになった。

ケンジは社交性に優れた人間だ。社交的な人だよね、というレベルではない。出会った瞬間から相手の懐に入るのが上手すぎてちょっと怖い、そういうレベルだ。

誰かが彼に友人を紹介すると、数日後には紹介した友人抜きで遊んでいたりする。誰に対しても〝居心地のいい距離感〟を保つのが上手で、これは天性の才能だな、と思う。

正直、女性用風俗で働くと聞いたときは驚いたし、業界が業界だったから公にするとは思っていなかったが、ケンジは未経験の業界にも関わらず、最初から常識にとらわれなかった。

風俗だからと写真にモザイクをかけて、友人に職業を隠す……なんてことは一切しなかった。

彼のアイデンティティである髭がなくなり、毛量が極端に減り、ご飯に誘っても飲みに誘っても、常に大きな鞄を持ってくるようになった。「予約が入るかもしれないから」と酒を飲まなくなった。

まるで人が変わったかのようで、僕も周りの友人も「彼はこの仕事に真剣に取り組んでいるんだ」と感じ始め、気付けばみんな彼の仕事を応援するようになった。

◇

ケンジがセラピストになって1年が経つ頃、僕は勤めていた会社を辞めた。辞めた当日、ケンジから「今日は俺の店の社長と焼肉を食べに行く。お前も来たら？」と誘いがあった。

ニートになった僕には断る理由がない。しかも焼肉。行かない理由もない。即答で「行く」と返事した。

食事が終わるときには、僕が内勤スタッフになる話がまとまっていた。


ケンジに誘われるまま、なんとなく始めた内勤の仕事。その仕事を通して、今まで見たことがないケンジに出会う。

この業界にクレームは付き物だ。「容姿が好みでない」「相性が合わない」など、どんな小さなことでもお客様が不快に思えば、こちらの配慮不足が問われる。でも、僕が知っている限り、ケンジのクレーム件数は〝ゼロ〟だ。

札幌秘密基地を立ち上げて1年半で名古屋秘密基地に移籍したケンジは、周りが目を見張るほど成長し、あっという間に予約困難になった。予約枠の埋まり具合を見れば、その人気は言うまでもない。地方店から全国に〝ケンジ〟という名を知らしめるのに、そう時間はかからなかった。

人気の秘訣は、容姿や技術はもちろん〝常に誰に見られても恥じない生活〟にあると思う。

予約枠の争奪戦に毎日疲弊する内勤達への気遣いを忘れない。元は友達の僕にも仕事では必ず敬語を使うし、感謝の言葉も伝える。

ナンバーワンセラピストとしての行動が染みついていて、日頃から手を抜かないケンジを、内勤も、セラピストも、お客様も、全員が尊敬している。

◇

最近やっと彼のアイデンティティである髭を取り戻し（中途半端に脱毛に行ったせいで部分的に生えていないが）、生まれ持った天然パーマを存分に可愛がっているケンジは、とても楽しそうである。

「お客様は自分を映す鏡」という言葉のとおり、お客様も彼に出会うことで私生活が充実するように思う。ケンジと時間を過ごすなかで、新しい発見をしたり、自分磨きをしたりと、女性である楽しさを一層見出せているのではないか。

ケンジに会って変化するのはお客様だけではない。セラピスト達も同じで、見違えるように意欲的になり勤務態度が良くなる。それは彼が怖いからではなく、心から尊敬しているからである。

こんなにも絵に描いたような〝お手本人間〟には、なかなか出会えない。男女問わず関わった相手に必ず何かを与えられるのは、彼の努力もあるだろうが、半分は才能だと思う。ケンジがマルチ商法を始めたらめちゃくちゃ流行るだろう。ネズミ講とか……させないけど。

ケンジはきっとこれからも変わらず躍進していく。現状に満足しない、学ぶ楽しみを知っている彼の活躍を、一人の友人としてとても楽しみに思う。

……ちなみに、ケンジは真面目なセラピストだが、宣材写真の撮影だけは死ぬほどふざけている。カメラマン曰く〝一番取れ高のない男〟だ。ほとんどが半目、変顔、千鳥の大悟のようなフルスマイル。セラピストとしては使い物にならない写真ばかりが並ぶ。

かなり厳選された写真が皆さんの目に触れているので、今後の宣材写真も楽しんでいただけたらうれしい。

3章

絶頂の快感へ誘う〝安心と興奮の黄金比率〟

～基礎テクニック～

ケンジ：ついにセックスの実践編だ。これまで1000人以上の女性に触れて生み出した〝安心と興奮の黄金比率〟は、快感を絶頂まで高めるセックスの基礎テクニックになる。〝安心と興奮の黄金比率〟についてまとめた秘伝の書を、3章で包み隠さず公開するよ。

カンタ：ケンジさん、包み隠さず公開したらもう〝秘伝の書〟じゃないですよ！　気づいて！

いいセックスは〝安心と刺激〟の両立

女性の快感は安心と興奮によって成り立つ。安心は精神を、興奮は肉体を満たす。その2つで心身が満たされたとき、女性は絶頂に達する。

安心と興奮の比率は一定ではなく、段階を追って変化する。最初は安心の比率が高く、【安心：興奮＝10：0】からスタートする。だんだんと興奮の比率を上げていき、最終的に【安心：興奮＝1：9】に到達したとき、女性はどこに触れられてもイける体になっている。

万人に快感を与えられる魔法の方式だが、ペースが速すぎると十分な快感が生み出せない。前戯から後戯まで2時間はかけるべきだ。一番時間をかけるべきは前戯であり、全体の半分以上は前戯に充てる。

俺は前戯に全力投球しすぎて、長時間のクンニにより舌が腱鞘炎のように震えだし、首がヘルニアになりかけたことがある。クンニで〝マン〟身創痍だ。プライベートでそこまで身を酷使する必要はないが、それだけ前戯は注力すべきポイントだってことだ。

前戯は「セックスしよう」と思った瞬間から始まっている。親密な距離感を作るための会話も、手をつなぎ抱擁するスキンシップの時間も、一緒にシャワーを浴びる時間も前戯だ。

会話やスキンシップも前戯だと認識していれば、自然と質が上がり、心地よさを底上げする官能的な交わりになる。直接的な愛撫を始める前からいい雰囲気になり、いざ服を脱いで触れ合う瞬間に気恥ずかしくなることもない。お互いを求め合う気持ちを高めてから触れ合うと、前戯の快感は底なしになる。

セックス＝挿入ではない。挿入して1分で果ててしまう早漏だとしても、前戯で女性を満足させれば挿入しただけで女性がイく状態になるので問題ない。挿入の長さがセックスの質に関与しない次元に行けるのだ。

3章では具体的なテクニックを解説するが「セックスはお互いをもっと好きになるための行為である」というマインドを忘れてはならない。安心と刺激で快感を高めた結果としてイくのであり、イく・イかせるためにセックスするわけではない。

五感をフルに使って自分と相手の心身を感じ取り、イかなくてもいいから快感を高めていくことに集中しよう。その過程で愛情を交わそう。何が起きても焦らず、相手を受け入れよう。終わったときに女性がトロンと甘い目をした〝女の顔〟になり、シーツが汗でしっとりと濡れていたら、心身が十分に満たされたサインだ。

刺激＝圧×スピード×面積

刺激は圧とスピードと面積の掛け合わせである。男は【強い圧×速いスピード×小さい面積の鋭い刺激】が気持ちいいと考えがちだが、それは違う。女性は【弱い圧×遅いスピード×大きい面積のゆるやかな刺激】を気持ちいいと感じる。男からすると「これで何か感じるの？」と疑うくらいの弱さでちょうどいい。

ただ、女性の興奮に応じて刺激を調整する必要がある。「だんだん刺激を強くしよう」と思うのではなく、女性の興奮度・性感帯に応じて「圧を変えよう」「スピードを変えよう」「面積を変えよう」と意識してそれぞれを調整することで、格段にセックスがうまくなる。

①圧

圧は〝力〟ではなく〝深部に届ける力の入れ方〟。圧をかける刺激は、抱きしめる・噛みつく・つねる・首を絞めるなどがあり、表面にだけ力を加えると痛みを感じる。奥に力を届けるようにゆっくり圧をかけると痛くならず、心地いい刺激になる。相手の反応を五感で感じ取りながら、じわじわと押すように力をかけるのがコツで、相手が感じていたらそれ以上強くしなくていい。

②スピード

スピードは遅いと弱い刺激になり、速いと強い刺激になる。基本的にはゆっくり遅いスピードから始め、だんだん速いスピードにしていく。ただ、肌を撫でるフェザータッチは遅いスピードで表面をなぞるように撫でるほうが快感を与えやすい。じっくり焦らすことで、女性の興奮が高まり感度が上がっていく。スピードも、相手が感じていたら無理に速くしなくていい。

③面積

触れる面積が大きいと弱い刺激になり、小さいと強い刺激になる。最初は手をべたりとつけて広い面積で触れ、指全体、指数本、指先……と触れる面積を小さくしていくと、女性の興奮度に合わせて刺激を強められる。

＋α 声

声（言葉）は耳からの刺激。最初は小さくささやき、女性の興奮に応じて大きい声で煽っていくと、女性も声を出しやすくなりセックスが盛り上がる。積極的に声を出していいが、男性の喘ぎ声には戸惑う女性もいるので、相手の反応を見つつ判断するのがベター。万能の声掛けは「気持ちいいね」「かわいいね」。

オーガズムの近道は「オナニーの再現」

オーガズム（イく）とは、昏睡状態に近いくらい頭が真っ白になって、骨盤周りの筋肉が痙攣・収縮し、収縮が限界に達した瞬間に解放されて緩む状態を意味する。

オーガズムには外イキと中イキがある。外イキは主にクリトリスを刺激し、中イキは膣内のGスポットなどを刺激して快感を高める。中イキより外イキのほうが簡単で、イきやすいポイントに強い刺激を与えれば強制的にイかせやすい。多くの女性はオナニーでクリトリスを刺激し外イキしていて、昏睡状態までいかなくてもサクッと外イキできる女性もいる。

ところが、セックスではイけない女性が圧倒的に多い。中イキとなるとさらにハードルが上がり、ペニスで中イキできる人は1割以下だと感じる。セックスでのオーガズムを目指すなら、まずは女性のオナニーを再現する。（ふだんオナニーしない女性は未開発の可能性が高く、やさしく触ってゆっくり開発したほうがいい）

女性の8割がオナニーしているので、オナニーはオーガズムに到達しやすい一番慣れた方法だ。オナニーはどこでするのか、部屋の明るさはどれくらいか、どんな体勢か、どの場所をどれくらいの強さで触るのか、指なのかおもちゃなのか、クリトリスを触るなら右回りなのか左回りなのか、縦に動かすのか横に動かすのか。これらを聞いてできる限り近しい刺激を与えると、かなりイきやすくなる。

外イキから中イキを誘発する

大抵はクリトリスを刺激して外イキを目指す形になるが、できれば中イキを目指したほうがいい。外イキは何度もできないし快感に余韻がないが、中イキは何度もできるし快感に余韻がある。中イキして深く心地いい状態でペニスを挿入すれば、男女ともこのうえなく気持ちいい〝至高のセックス〟になる。

そこでおすすめしたいのが、外イキを興奮材料にした中イキだ。外イキそのものを絶対のゴールにしなくていいので、外イキできるような刺激をクリトリス周辺に与えながら、中を刺激して中イキへと誘っていく。

男が「絶対に外イキさせよう」と意気込んで外側の刺激ばかり続けていると、途中で女性の感覚が鈍ったりプレッシャーに感じたりしてイけなくなることがある。中イキをした後に外イキを狙うと、無理に外イキさせようとしなくなり、女性が自然と外イキと中イキをしやすくなる。

男がテクニック面で気を付けるとしたら、指をメイン、舌をサブとして同時に使うことだ。指で膣内にしっかりとした刺激を与え、舌でクリトリスに優しい刺激を与えると中イキしやすい。（舌の刺激が強いと外イキになる）

ただし「イかせよう」と意気込んではならない。女性は〝イかないこと〟より〝イかせたがっている男〟を負担に感じる。「一生懸命やってもらって申し訳ないし、イけないのが恥ずかしいから、イったふりしよう」と演技し、見せかけの虚しいセックスに終わる。

女性のNGサインと対処法

セックスでは女性のNGサインを逃してはならない。「痛い」「気持ちよくない」と言える女性は稀で、何も言わないから大丈夫だろうと高をくくっていると膣内などデリケートな場所を傷つけてしまうリスクがある。NGサインを捉えたら刺激をやめたり力を緩めたりして、すぐに調整すべきである。

一番わかりやすいNGサインは逃げる動作だ。刺激が強すぎて痛みを感じると逃げようとする。その動きを「感じている」と勘違いする男性もいるが、気持ちいいときは「イきそう」「いい」などと言うので、何も言わないときは見極めが必要だ。

腰を浮かせる場合は感じている可能性が高く、腰を横にずらして体を逃がそうとするときは痛い可能性が高い。女性の表情もよく観察して変化に気づけるよう、ゆっくり刺激するのもNGサインを捉えるコツだ。

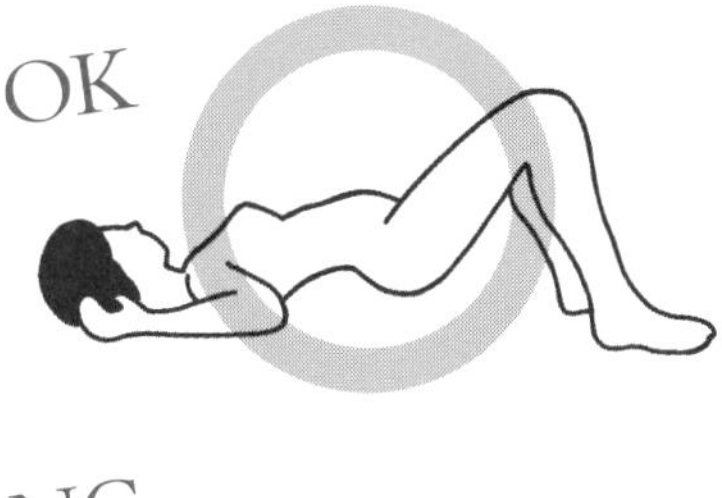

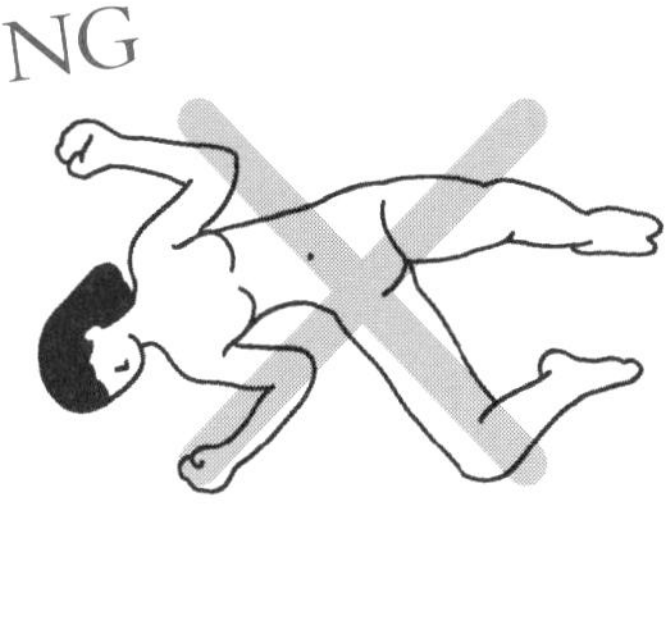

それでも判断に迷ったら、ストレートに「痛くない？」と質問する。気を遣って「痛い」と答えられない女性も多いので、返事するまでに間があったり「わからない」などと濁されたりしたら「もう少し弱くしようか？」「ゆっくりやるね」といったん刺激を弱める。

ただ、同じ刺激でも女性の興奮度によって痛くなったり気持ちよくなったりする。最初の段階で「痛い」と感じた刺激も、後半では「気持ちいい」と感じる刺激に変わることはよくある。刺激が強すぎるのではなく興奮が足りていない可能性もあるので、愛撫しながら女性の興奮度を高めて、また同じ刺激を与えてもいい。このあと紹介する〝安心と興奮の黄金比率〟に合わせて、刺激の強さを調整しよう。

安心と興奮の黄金比率

ケンジ：迷ったらこの黄金比率に立ち返ればＯＫ。ただ、必ずこのとおりにしなけれ

ばならないわけではない。教科書的な基本の手順として捉え、臨機応変に対応してほしい。

基準より弱い刺激はOK、強い刺激はNG

ここから「安心と興奮の黄金比率」について6段階に分けて解説するが、あくまで説明の都合上、6段階に分けているだけだ。実際には安心：興奮の比率は波のように変動する。興奮度は右肩上がりに高まっていくものの、直線状に高まるわけではなく、小さな波を描くように高まっていく。

安心と興奮の比率に応じた刺激があり、その刺激を下回るのは問題ないが、上回ってはならない。適した刺激を上回ると、十分に興奮していない体で強すぎる刺激を与えることになり、女性の体に負担がかかるのと、不快感を与える恐れがあるからだ。

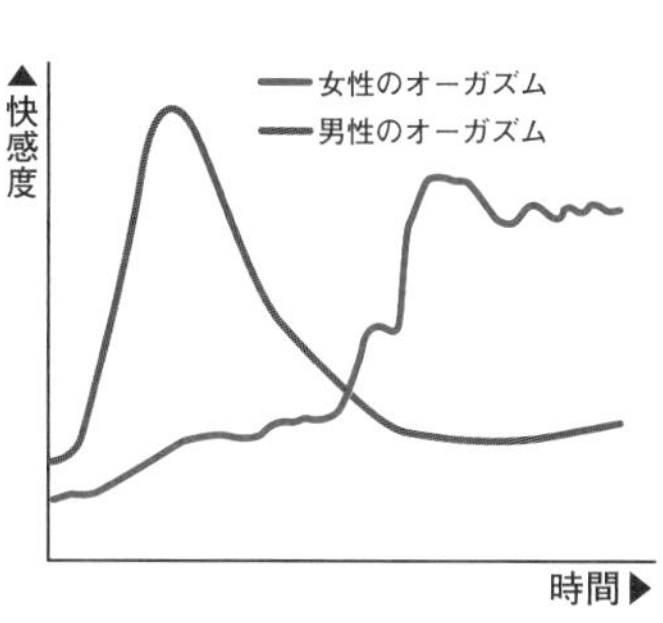

前のステップに戻るのはＯＫだが、次のステップを飛ばすのはＮＧ。前のステップに戻る分には、ゆるやかな気持ちよさが続くので問題ない。次のステップを飛ばすと、刺激が強すぎて快感より痛みが勝る可能性が高い。強い刺激を与えるには、それだけ興奮させなければいけないのだ。

焦らしを制する者はセックスを制する

つまるところ、セックスはできる限り焦らしたほうがいい。男がやりたいことを順番にやっていくセックスが主流だが、すぐにキスして手マンやクンニをするセックスは女性にとって安心感がなく、十分に興奮できない。女性がやってほしいことを順番にやっていくセックスのほうが気持ちいい。

すぐにポンポンと進めず、興奮度を高めていく工程を丁寧に踏んでいくと、女性をたっぷり焦らすことができる。焦らすほど女性は「もっと触ってほしい」と感じ、感度が上がって大胆になる。たとえば乳輪をずっとなぞっていたら、女性は「乳首を触ってほしい」と強く感じ、たまらず声にしてねだる。ほかの場所も同様だ。焦らしは、女性がふだん言えない〝やりたいこと〟や〝してほしいこと〟を引き出すテクニックでもある。

焦らしの重要性を踏まえ、〝安心と興奮の黄金比率〟を順番に学んでいこう。

1 安心10：興奮0（所要時間：5分）

ケンジ：最初は環境を整えて雰囲気づくりをし、女性に安心感だけを与えよう。環境を整えるとは、セックスの集中を妨げる要素を排除するということだ。自分の行動だけで完了するのでだれでもできる。ぜひ気軽に試してほしい。

①お互いにトイレをすませておく

セックス中は男女ともにトイレが近くなる。男もそうだが、特に女性は途中で「トイレに行きたい」と言いにくいので「お手洗い行く？」と先に聞くと親切。セックス中でも女性が「出そう」と言ったら「トイレ行っていいよ」と言うこと。出してもらいたいなら「ここで出していいよ」と答えてもいいが、そこで出せるかは女性次第。

②ベッドの近くに水を置く

汗をかいたり潮を吹いたりすると水分が多く出ていくし、喘いでいると口や喉が渇く。いつでも水分補給できるよう、近く（ベッドサイドなど）に水を置いておく。水分をたくさん取ったほうが濡れやすく、お互いの口臭予防にもなってディープキスしやすいというメリットも。最初に「いつでも水を飲んでいいからね」と伝え、最中も「水、飲む？」と聞くのがいい男。

☑口移し

すでに親密な女性には口移しで水を飲ませるのもアリ。こぼさないよう、ゆっくり水を流し込む。慣れてきたら「感じ取りながら飲んで」と言って、顎を撫でたり髪を引っ張りながら飲ませる。それだけで感じる女性もいる。

③室温を26〜28度にして汗をかきやすくする

汗をかくくらい温かいと筋肉が緩まって感度が上がり、寒いと体が強張って感度が下がるため、室温は26〜28度にする。夏でも26度以上にして「ちょっと暑いな」くらいに調整する。最中でも女性が寒がっていたり鳥肌が立っていたら温度を上げる。二の腕やお尻などの皮下脂肪が冷えていたら寒がっているサイン。

④音楽をかける

無音だと声が出しにくいため、音楽をかける。ジャズやヒーリングなど、スローテンポの歌詞がない音楽が集中しやすい。J-POPのピアノなど、歌詞が想像できる音楽は集中を妨げるのでNG。音楽もセックスの一部にするつもりで、ムードのある曲を選ぶ。音楽をかけられないときは「俺の呼吸や声を音楽として聴いて」と囁く。(俺は)

⑤足を開いても恥ずかしくない明るさにする

女性に「どれくらいの明るさがいい?」と聞き、何も気にしないで心身を開放できる明るさにする。ものすごく恥ずかしがる女性なら真っ暗にする。全然恥ずかしがらない女性なら明るくしてもいいが、薄暗いほうがムードが出る。裸になって足を開いても恥ずかしくなく、お互いの顔が見えるか見えないかくらいの明るさが理想。

☑ **目隠し**

サポートアイテムとして活躍するのが目隠し。女性の視覚を奪うため明るいままでもプレイしやすく、恥ずかしさや緊張でソワソワしてしまう女性に向いている。目隠しの詳しい活用法は4章（p・196）にて解説。

2 安心9：興奮1（所要時間：20分～）

ケンジ：9：1のゴールは、女性に〝安心〟を強く感じてもらいながら、エロモードへと移行させること。シャワーありなら30分以上、シャワーなしなら20分以上が目安。興奮は1割だけなので、胸やおしりなどデリケートな場所には触らない。頭、背中、肩、腕、手、太もも（前面）など、いやらしくなく性的ではない場所をやさしくゆっくり触ろう。

①隣に座り、手を触る

ベッドに行く前に、ソファなどで隣に座る。女性を見つめながら、上から覆うように手を重ね、「気持ちいいね」「やわらかいね」など思ったことを素直に伝える。「いい匂いだね」「かわいいね」と褒めるのも○。

もう片方の手を女性の腰に添え、軽く抱き寄せる。重ねているほうの手は、手のひら全体で女性の手の甲をゆっくりと撫で、指の腹でさすったりしながらやさしく握る(手をつなぐ)。握っている間も親指で表面をさすり、ドキドキさせながらムードを作っていく。

☑フェザータッチ

女性に触れるときは常にフェザータッチを意識する。フェザータッチとは、羽毛が触れるように撫でること。1秒に1㎝のスピードが目安だが、自分の体を触って練習すれば体感で学べる。撫でる方向はまっすぐか、円を描くかの2種類。目をつぶったときに「今、どの指で、どこを触られているか」がはっきり感じ取れるくらいが目安。最初は①大きい面積で②1回あたりのストロークを長くして③ゆっくりしたスピードで撫でる。女性の興奮が上がるにつれ、手を少し浮かせて指全体、第二関節まで、第一関節まで、指の腹だけ、指先だけ、爪先だけ……と触れる面積を少なくし、ストロークを短くして、スピードも上げていく。

実践動画は
こちら!

②会話で前戯する

会話も前戯。言葉も声色も吐息も興奮を与える材料になるので、耳元で話したり愛情を伝える言葉を伝えたりして、女性の気持ちよさを高めていく。おすすめの方法は次の2つ。

1、愛情を伝える行為について質問する

女性が喜ぶ〝愛情を伝える行為〟について質問し、女性のＹＥＳを引き出して心の壁を取り除く。

「キスは好き？　俺も好き」

「ハグは好き？　俺も好き」

「手をつなぐのは好き？　俺も好き」

2、性癖・性感帯について質問する

性癖・性感帯について聞いて、女性の想像力を働かせ、エロい気分にさせる。

「俺、こういうプレイが好きなんだ。少しずつでいいから、好きなプレイとかやりたいことがあったら教えてほしいな。○○のことが好きだから、もっと知りたいんだ」

「触られたり舐められたりしたとき、反応しやすいところはある？」

「ちょっとエッチな気分になるときはある？」

相手のリアクション（テンション、返事や反応、表情など）によって質問の質や量を調整する。「まんこ」など露骨な言葉はＮＧ。

③手をつなぎながら抱きしめる

手をつないだまま、じわじわ力を入れていくようにぎゅうーっと抱きしめる（女性が苦しくならない程度に）。女性を無理やり自分のほうに向けず、自分が動いて抱きしめ

るのがコツ（正面から抱きしめるなら自分が女性の前に回り、後ろから抱きしめるバックハグなら自分が女性の後ろに回る）。どうしても女性に動いてほしいなら、やさしく「こっち向いて？」と声掛けをする。

自分の顔を女性の髪にすりよせる感じで抱きしめながら、背中や頭を手のひら全体でゆっくり撫でる。後ろから抱きしめた場合は、体の前側で手をつなぎ【①隣に座り、手を触る】と同じように指の腹で表面を撫でる。胸やおしりなどデリケートな場所には触らないが、女性の体に腰をグーッと押しつけるようにして密着させる。

④服を脱がせる（シャワーを浴びる）

抱きしめた流れで、そのまま服を脱がせる。正面から向かい合って脱がせると女性が恥ずかしがるため、後ろから抱きしめるような体勢で脱がせる。服が体にひっかからないように脱がせるのがジェントルマン。

まだシャワーを浴びていない場合、ここでシャワー。一緒に入るなら、浴室も間接照明などを活用して暗めにする。体を泡で撫でるように、手のひら全体を滑らせるようにして洗ってあげ、やさしくシャワーをかける。「熱くない？」と湯加減を確認するのがジェントルマン。

⑤ベッドで後ろから抱きしめ、性的じゃない場所をフェザータッチする

ベッドに移動したら、【①隣に座り、手を触る→②会話で前戯する】の流れを繰り返し、手を触りながら後ろから抱きしめる。頭を撫で、もう片方の手で肩や腕などを撫でたり、手を握ったりする。

9：1の段階では、手のひら全体をペタッと相手の肌につけ、猫を撫でるくらいの力加減で、ストロークを長くして、1秒に1㎝くらいのスピードで撫でる。

まだ胸やお尻など性的な場所を触るのはNGなので、体の中心から遠い場所をメインに、体全体をフェザータッチする。触っていい場所は、頭、背中、肩、腕、手、太もも（前面）。

常に両方の手を使って2か所以上に触れるのがポイント。対角線上の2か所を触ると全身に刺激が行き渡りやすくなるので、右手を触るなら左足を触るというように、対角線に右手と左手を置き、フェザータッチする。手ではなく唇全体をそっと押し当てるのもいい。

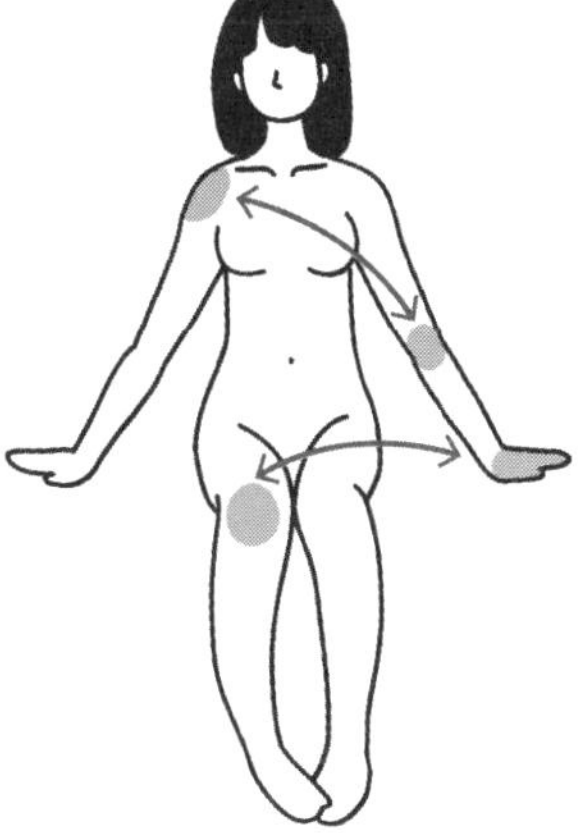

いかなるときも相手の体を触っている状態をキープする。右手で違う場所を触るときは、左手をどこかしらに添えておき、一瞬たりとも手を離さないようにする。ときどき目を合わせ「こっち見て」「かわいいね」といった声掛けをする。

☑ 動きには余韻を残す

セックスに速い動きはいらない。速く動かすと流れが途切れて集中力も切れてしまうので、常にゆっくり動かして、じわりとした余韻を残す。手をパッと放すのではなく、スーッと力を緩めながら放し、また別の場所にゆっくり触れるのを繰り返す。動かすスピードは、想像の倍くらい遅くてちょうどいい。

☑ くすぐったがる場所は時間を置いて責める

女性がくすぐったいと感じる場所は未開発の性感帯。1回目はくすぐったがっても、2回目3回目でくすぐったさが快感に変わることが多いので、いったんはかの場所を触ってからまた触って……を何回か繰り返す。体勢や体位を変えてから触ったり、7：3や6：4の段階でまた触ったりして、少しずつ慣らしていく。いいリアクション（腰が動いて声が出る）が返ってきたら、ねちねちいやらしくいっぱい責めよう。

9：1のゴールサイン

○恥ずかしがる
○空気感を合わせてくれる
○女性らしい雰囲気がある
×表情がない
×肩周りに力が入って強張っている
×元気に笑う（エロモードに入っていない）

×の反応があったらまだ9：1をクリアしていないので、○の反応になるまで性的じゃない場所へのフェザータッチを続けよう。

3 安心7：興奮3（所要時間：15分〜）

ケンジ：7：3のゴールは、相手の体が快感に反応して動く状態まで持っていくこと。全身で十分に刺激を感じ取れるように、指先や指の間まで全身をくまなく舐めたり触ったりする。安心を多く残しながら興奮を高めよう。

ちなみに、セラピストはここでオイルマッサージをして体の感度を高める。会話は控えめになり、完全にエロモードへ移行する。

①手のひら全体で体をフェザータッチする

引き続きベッドで後ろから抱きしめながら、手のひら全体で軽く触れるくらいのフェザータッチをする。スピードは1秒に1㎝。

触れる場所は頭、顔、首、肩、脇、デコルテ、乳首以外の胸（横乳や谷間）、脇腹、おしり（デリケートゾーン以外）、鼠径部、太もも、ふくらはぎ、足の甲、足の指、足の指の間。フェザータッチする過程でゆっくりやさしく押し倒し、寝ている状態で後ろから抱きしめつつ対角線上の2か所以上を同時に触れるように意識しながら、全身を一通り撫でる。

✓脇や足先は様子を見ながら

脇と足先はデリケートな場所なので、女性の反応を見ながらトライすること。嫌がるなら無理にやらなくてもいい。ただ、恥ずかしい場所は開放できると気持ちよくなるので、長期的にはじっくり開発したいところ。

②抱きしめながら感度が高い場所をさする

そのまま、感度が高いデリケートな場所にもゆっくりフェザータッチする。触れる場所は首、脇、乳首以外の胸（横乳や谷間）、脇腹、おしり（デリケートゾーン以外）、鼠径部、太もも。同時に自分の足で女性の内ももやふくらはぎをさすり、安心感のあるスキンシップを交えることで、デリケートな場所への刺激をほどよく緩和させる。

複数箇所を同時に触りながら「どこが感じやすいか」も分析する。固定観念に縛られず、全身をくま

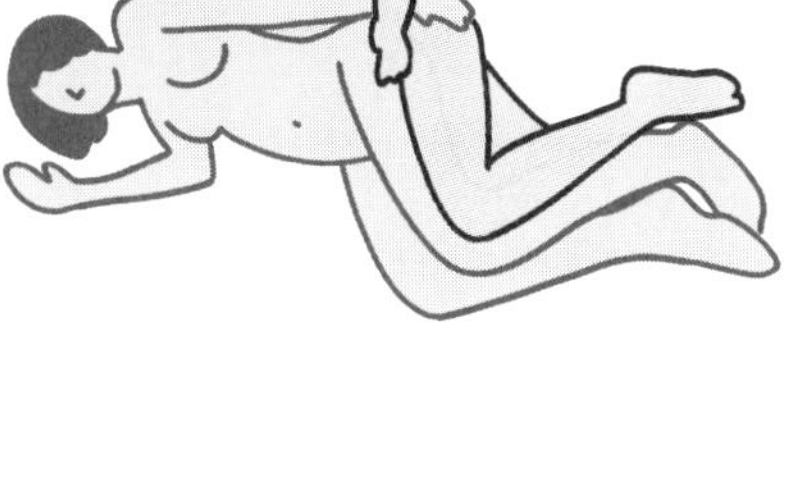

なく触るのが大事。性感帯を見つけたら、6：4以降で重点的に責める場所として覚えておく。

③顔をフェザータッチする

手のひら全体で頬を包み、そのまま下へゆっくりと指先を滑らせる。右手で頭を撫でながら、左手で顔の表面をフェザータッチするなどして、恋人の雰囲気を高めていく。

顔は手と同様、意外と感度が高い場所。気を許した相手じゃないと触られたくない場所でもあり、触れることで親密感も高まる。「かわいいね」「気持ちいいね」といった声掛けをするとなおよし。

④髪の上から耳に口づけ、吐息を伝える

女性の髪の上から耳に口づけて、ゆるく吐息をかけて耳への刺激を入れる。耳は敏感で刺激を感じやすいため、この段階では直接触らず、髪の上から間接的にアプローチする。

同時に低い声で囁く〝言葉添え〟をすると効果的。言葉に迷ったら、見つけた反応に対する感想・褒め言葉を伝える。「腰が動いてきたね」「体が熱くなってきたね」など。

☑枕をそっと抜く

興奮が高まり刺激を強めていく段階では、枕が邪魔になる。女性を抱きしめながら片手で頭を支え、ゆっくりと気が付かないくらいのスピードで枕を抜くとスムーズ。速くシュッと抜くとエロいムードがなくなってしまうので要注意！

7：3のゴールサイン

○腰がちょっと動く
○息がちょっと漏れる（乱れる）
○目がトロンとする
○体が温かくなってくる

4 安心4：興奮6（所要時間：15分〜）

ケンジ：4：6のゴールは、お互いの興奮を伝えながら高め、心身を開放していくこと。女性の興奮を言葉で伝え、自分の興奮は体で伝え、お互いの興奮を相乗効果で高める。興奮が高まるにつれてどんどん気持ちよくなっていく。

①強めに圧をかけ、自分の興奮を伝える

女性をうつ伏せにして、覆いかぶさるようにぎゅっと抱きしめてから、手もぎゅっと握り、指を強めにさする。自分の足で女性の足を強めにさすり、密着度を高める。

同時に自分の腰を女性に押し当てて、興奮を伝える。勃起していると女性は「自分に興奮してくれている」と喜ぶのでなおよし。仙骨（おしりの割れ目の一番上に、指先を下にして手を当て、手のひらで覆っている部分）に腰を振る角度で押し当て、ギューーッと圧力を加えて、フワッと放すのを繰り返す。

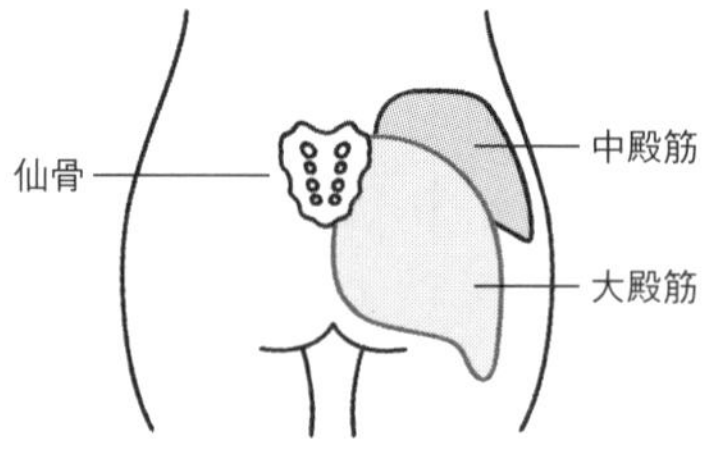

☑ 勃起力を高める

肉体面では、スクワットを1日10回×3セット行う。イくときに使う骨盤底筋が鍛えられて勃起力が上がり、ペニスを膣の中で動かせるようにもなる。亜鉛サプリを飲むと「俺は勃起に効くサプリを飲んでいる」というプラシーボ効果も期待できる。

精神面では、イメージだけをおかずにしたオナニーを日常的に行う。視覚的な刺激がなくても想像力だけで勃起できるようなり、集中力も上がる。イメージだけのオナニーが難しければ、AVを部分的に活用する。（勃起するまで、イく直前だけ、など）

②後ろから抱きしめ背中にキスする

愛情を伝えるイメージで、後ろから抱きしめつつ背中に触れるだけの軽いキスをする。唇全体を軽く「ちゅ」と押しつけるくらいの弱い圧力で、肩から背中、デリケートゾーン以外のおしり、太ももへとゆっくりキスしていく。女性の反応を見つつ、拒否されなければ足にも軽くキスする。

同時に、唇でのフェザータッチもする。唇を女性の体につけたまま、抵抗なく滑らせやすい力加減で肌の表面をゆっくりと滑らせる。キスする場所と同じ範囲を、刺激が弱い場所から（人によるので見極める）まんべんなく行う。

女性の感度が上がってきて少し体が動くようになってきたら、キスした範囲を舌で舐める。舌を湿らせ、脱力した舌先を唇の間に挟み、肌に軽くつけてフェザータッチするように滑らせる。

☑手を休ませない

唇を使って愛撫している間も、空いている手は動かし続けること。女性の体や顔に添わせて撫でたりフェザータッチしたりして、唇で触れている場所以外にもまんべんなく刺激を入れていく。ときどき頭を撫でたりすると安心感が生まれ、女性がリラックスできる。

③正面から抱きしめ全身にキスする

【②後ろから抱きしめ背中にキスする】と同じように、正面から抱きしめて全身に触れるだけの軽いキス&唇でのフェザータッチをする。7：3と同じ場所（頭、顔、首、肩、脇、デコルテ、横乳や谷間、脇腹、鼠径部、太もも、ふくらはぎ足の甲、足の指、足の指の間）を、刺激が弱い順番にゆっくりと触れていき、興奮を高める。女性の体が少し動くようになったら、舌でフェザータッチする。勃起している場合、ペニスを女性のへそと恥丘の間（陰毛の生え始めからへその間）に押し当てて興奮を伝える。

✓体の反応を言葉で伝えるのが言葉責め

相手の体が反応したら、それを言葉にして伝えるまでをセットで行い、興奮を高める言葉責めをする。腰が動いたら「腰が動いているね」と伝えるなど。慣れてきたら①「ここ気持ちよくなってくよ」と予測を伝える→②予測どおりの反応があったら「ほら、どんどん気持ちよくなってきたでしょ？」と反応を伝えるという2ステップを繰り返すと、より興奮が高まっていく。

④唇に「余韻があるキス」をする

ようやく唇へキスする。舌は使わず、触れるだけの軽いキス。一度ちゅ、と軽くキスしてから、お互いの唇の感触がはっきりわかるくらいゆっくり「ちゅ…ちゅ…」と何回か繰り返す。

また、余韻を残すのもポイント。①唇に触れる→②唇全体に圧をゆっくり加える→③圧をゆっくり抜く→④離れる、の4ステップで行うと余韻があるキスになる。

⑤耳を責める

まずは耳元で自然な吐息を伝える。「ふうっ」と吹きかけるのではなく「はあ…はあ…」くらいの吐息にして、弱めの刺激を入れる。頭を撫でたり顔に手を添えたりしながら、耳に唇でキスして、唇だけで耳を咥えて（歯を立てない）甘噛みする。吐息や軽いキスを織り交ぜながら何度か咥え、耳の外側をゆっくりと舐める。中耳炎のリスクがあるため唾液は極力使わず、耳甲介より内側は舐めない。

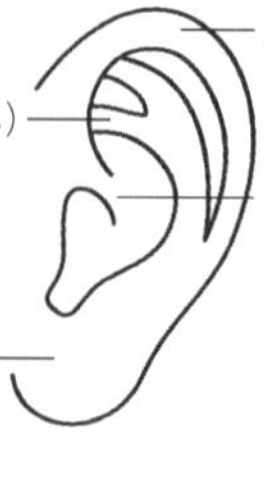

☑ 自分の興奮を控えめに伝える

ここでも自分の興奮を女性に伝え、女性の興奮も引き出す。腰を女性に軽く押し当てたり、「はあ…はあ…」という吐息を伝えたり。いずれも露骨にいやらしいと引かれるリスクがあるので、思い切り腰を振ったり「はあっはあっ」と吐息をぶつけたりするのはＮＧ。特に耳元は音が大きく聞こえるので、吐息も声も小さく控えめにする。

4：6のゴールサイン

- ○腰がよく動く
- ○声が出始める
- ○口の動きがある（噛み締めるなど）
- ○口元に手を当てる
- ○肌がしっとりしている

5 安心3：興奮7（所要時間：15分〜）

ケンジ：3：7のゴールは、女性を興奮させ、積極的に体を動かせる状態にすること。4：6の延長線上でデリケートな場所にも強めの刺激も与えて興奮を高め、お互いを求め合う欧米セックスのような激しい動きを引き出そう。

①四つん這いにする

恥ずかしい体勢は気持ちよくなりやすいので、四つん這いにさせる。肩幅より広く開脚させ、上半身をペタンと床につけておしりを突き出す格好にし、つま先を立てさせる。やさしく誘導して、四つん這いになれたら「かわいい」「エロい」「えらい」といった言葉で褒める。

②甘噛みを交えた全身リップをする

四つん這いのまま、全身（頭、顔、首、肩、脇、デコルテ、横乳や谷間、脇腹、鼠径部、太もも、ふくらはぎ足の甲、足の指、

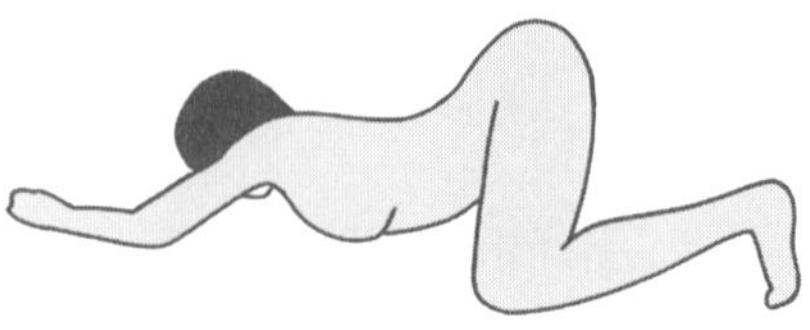

足の指の間）をしっかりと舐めたりキスしたりして愛撫する。息を吐きながら舐めたり、舌に唾液をたっぷり含ませて舐めたりすると◯。自分の腰をくねらせるようにして、女性の下腹部や骨盤あたりに押し当て、相手も腰を動かしやすいように動きを引き出していく。リップによる愛撫は全身を1周くらいするのが理想。

同時に、女性の反応がいい部分をシフォンケーキを食べるくらいの力加減で噛む。噛んだ痕はつかないが、ほんのり赤くなるくらいが目安。

③乳首を舐める

乳首に「はあ…はあ…」と吐息をかける。自分の興奮を伝えながら焦らすイメージ。焦らしたら、舌の真ん中から舌先を使い、なるべく力を入れずにゆっくり大きく舐め上げる。唇も肌に触れるようにしつつ、乳首にキスしたり、やさしく吸ったりもする。何度か繰り返したら、舌先をメインにやわらかく刺激するのも◯。全体的に弱い力で刺激するのがコツ。

☑ 臭わないサラサラの唾液にする

水分量が足りていないと汗や唾液の質が悪くなり、粘り気が出たり臭いがきつくなったりするので、水は毎日2・5リットルは飲んで臭わないサラサラの唾液にする。脂汗が出る人は要注意！ 水を持ち歩き、こまめに水分補給をしよう。そこまで飲めない人は、せめてセックス前に500㎖のペットボトルを飲み干すように！

④やさしいディープキスをする

女性が舌を出してくるのを待つぐらいが理想だが、この段階でディープキスをする。舌を出し入れしたり回転したりする激しいディープキスは気持ちよくないので、舌に力を入れず、できるだけ脱力してやわらかい状態の舌先を絡める。「どこを触っているか」が感じ取れるくらいゆっくり、フェザータッチと同じスピード感でやさしく動かす。吸うときも軽く舌を引き寄せるくらいの力加減にする。

ディープキスにも人によって好みがあるので、女性と同じくらいの圧、スピード、深さ（舌を出す長さ）でディープキスをするのがコツ。お互いに同じ力加減で戯れるのが気持ちいい。もっと深くしたいなら「もっと舌を出して」と伝えて、聴覚からも刺激して興奮させ、舌を引き出す。

ディープキスは強い刺激なので、ディープキスをしながら体にも強い圧力をかける。強めに手を握ってベッドに押しつけたり、腕や手首を押さえたり、強く抱き合ったりして全身で興奮を高める。ディープキスしながら両頬を手のひらで包み、愛情を伝えるのもよし。

☑舌の空中戦はしない

口から舌を出して空中で絡めるのはもったいない。空中戦は避け、性感帯でもある口の中でディープキスをしたほうが気持ちいい。唇や歯茎なども余すことなく刺激する。

⑤宇宙キスをする

女性に口や舌の力を抜いてもらうよう促してから、両耳を塞いで音を遮断する。女性の目をつむらせてから舌を入れ、女性の舌をやわらかく掻きまわすようにディープキスをする。女性の舌が、こちらの舌の動きによって自然に動くだけの状態。視覚も聴覚も奪うことで触覚が研ぎ澄まされ、頭の中で舌の音も響き、まるで宇宙にいるような感覚でとんでもなく気持ちいい！

☑ディープキス×首絞めは相性◎

女性がM寄りの場合、首絞めしながらディープキスすると感度が高まる。同時に、円を描くようにして胸（乳首以外）をフェザータッチでなぞると、さらに刺激を与えられる。詳しいやり方は4章（p・198）を要確認。

⑤仰向けにして開脚させ、フェザータッチする

女性を仰向けにさせてから正面に座り、自分の太ももで女性の足先を抑え、ゆっくりと開脚させる。できる限り開脚させ、反り腰になって少し腰が浮いた状態にしてから、内ももや鼠径部のピンと張っている場所や大陰唇（デリケートゾーン）をフェザータッチする。同時にディープキスをするのも◯。

OK

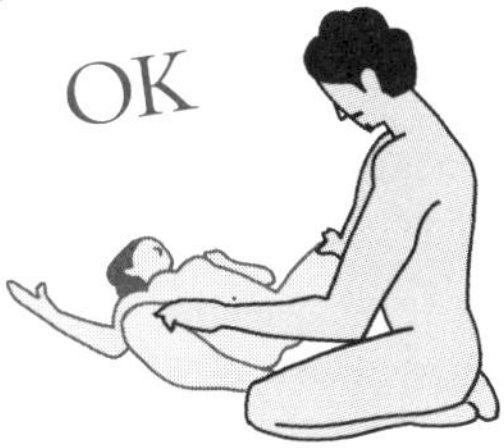

膝先で女性の足先を押さえ、
できる限り開脚

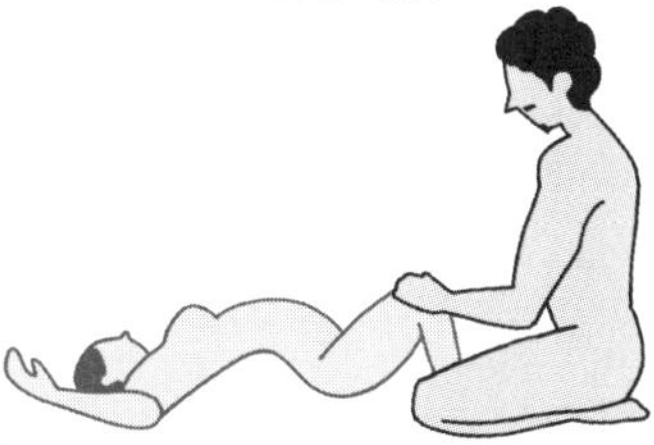

反り腰になって少し腰が浮く

NG

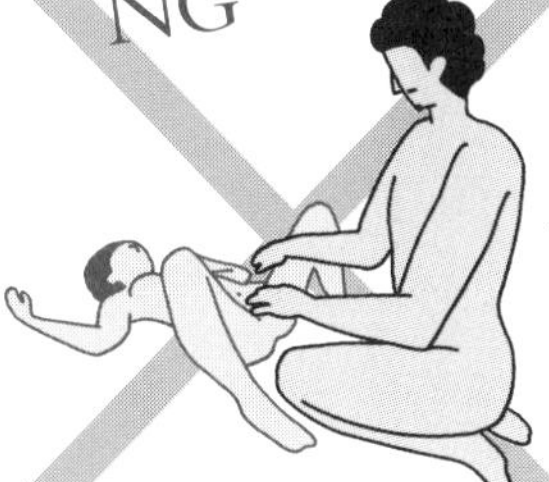

足先を抑えないと張りが出ない

☑張りのある姿勢にさせる

張りがある場所は、緊張が生まれて刺激が伝達されやすくなる。内ももや鼠径部に張りを作ることで、フェザータッチ、クンニ、手マンなどの刺激がしっかりと入り、より強い刺激を与えられるので、積極的に張りのある姿勢を作ろう。詳しくは【体位（p・178）】参照。

3：7のゴールサイン

○はっきりとした喘ぎ声が出る
○腰が大きく動く
○手に力が入る
○汗がシーツに染みている

6 安心1：興奮9（所要時間：40分～）

ケンジ：1：9のゴールは、強い興奮で理性を吹っ飛ばすこと。メインは挿入ではなく手マンなので、挿入前の【⑨Gスポットを見つけて、押す】までに20分ぐらいかけて女性の興奮度を上げきれば、挿入しただけで中イキできるくらい気持ちよくなり、早漏や遅漏だったとしても女性を満足させられる。

①クリトリスに吐息をかけて焦らす

【⑤仰向けにして開脚させ、フェザータッチする（p.158）】の開脚した姿勢のまま、クリトリスに1秒くらい「はーっ」と吐息をかけるのを3回繰り返す。「ふーっ」だと強すぎるので、興奮を伝えるような呼吸としての「はーっ」を意識する。

②大陰唇の外側をリップで焦らす

大陰唇にリップする。長く焦らしすぎると冷めてし

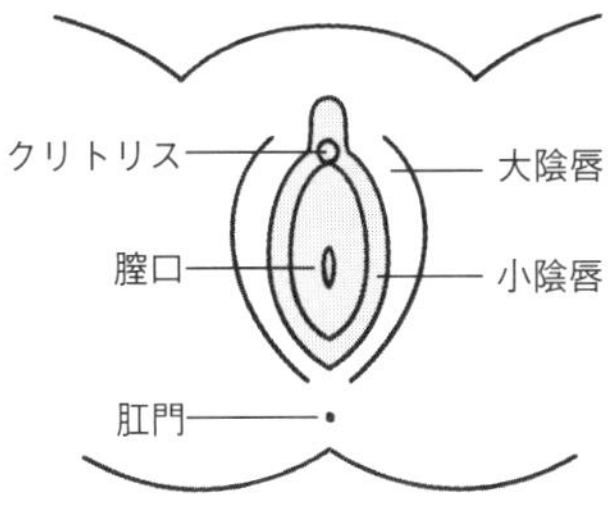

まうので、1~2分が目安。クリトリスや膣口には触れず、弱い刺激で焦らすのがポイント。ゆっくりとキスをしたり、唇でフェザータッチしたり、舌でやさしく舐めたり、そっと吐息をかけたりして、ソフトな刺激で焦らす。

リップをしながら、指先でフェザータッチをする。ひざ・ふくらはぎ・太もも・内もも・外もも・鼠径部・お腹・脇腹などが触りやすい。膝や肘などの出っ張っている部分や、体の側面は意外と感覚が鋭く、ゾクゾクして気持ちいい。リップしにくい大陰唇の下部は、フェザータッチで刺激する。

☑女性の体に手を乗せない

脇腹など上半身にフェザータッチするとき、女性の太ももに腕を乗せると重くて嫌がる女性が多い。肘を曲げてベッドにつけ、女性の足を内から外へくぐるようにして触る。太ももに限らず、女性の体に何かしらの重心をかけないように配慮する。

③肛門〜膣口前をフェザータッチ&リップで焦らす

1秒に1㎝くらいのスピードで、肛門の上あたりから膣口の直前までなぞるのを3回繰り返す。

次に、同じ場所をリップする。無理なく舐められる場所からクリトリスに向かって、下から上に「ちゅ、ちゅ、ちゅ」と3回ほどゆっくりキスしていき、クリトリス直前で寸止めするのを3セット繰り返す。

そして、同じ場所を舌でゆっくりと舐め上げ、クリトリス直前で寸止めするのを3回以上、長くねっとりと繰り返す。舌先は尖らせずに力を抜くが、フェザータッチよりも強めの圧にして、舌全体を使って大きくベロンと舐める。女性が「もう舐めてください」と言わんばかりの腰の動きをしたら◎。

④クリトリスにキスして焦らす

肛門の上辺りからクリトリスまで舐め上げ、膣口に「はあ」と吐息をかけ、クリトリスに「ちゅう」とキスする。キスは唇の力を抜き、唇全体をつけるようにして（点ではなく面で）、触れるだけのキスの3倍くらいの圧力で行う。

⑤クリトリスを舐めて焦らす

口を開いたまま口周辺を股にぴったりと密着させてから、舌をちょっと出し、クリトリスを重点的に舐める。最初は下から上に舐めるが、途中からは下から上、上から下へと往復する。どちらも同じ圧力とスピードで舐め、均等な刺激を与え続ける。

クリトリスを剝くと刺激が強く痛がる女性もいるので、剝く必要はない。最初はできるだけ弱くネチネチと舐めて、焦らしの一環にする。

☑「イきそう」と言われても強くしない

女性は男性よりもイくまでが長い。女性が「イきそう」と言ってからイくまで10分以上かかることも多いので、イきそうな場合は気長に同じ刺激を与え続ける。イかせようと刺激を強くすると、気持ちいい強さではなくなってしまう。同じ強さで刺激し続けるためにも、弱めにクンニする。これまでのステップで興奮を高めていれば、弱い刺激でも気持ちよく感じられるのでご安心を。

⑥本格的にクンニする

クリトリスを舐めながら、手で脇腹・足の側面・膝・足先などをねっとりと撫でる。さらに乳首の先端を指2〜3本でフェザータッチし、優しい刺激を全身に入れていく。興奮を高めるために、女性自身の手で太もも裏を支えるようにして開脚させるのもおすすめ。

デリケートゾーンにリップしたりクンニしたりする場合、舌だけを動かすと疲れやすく長時間舐められな

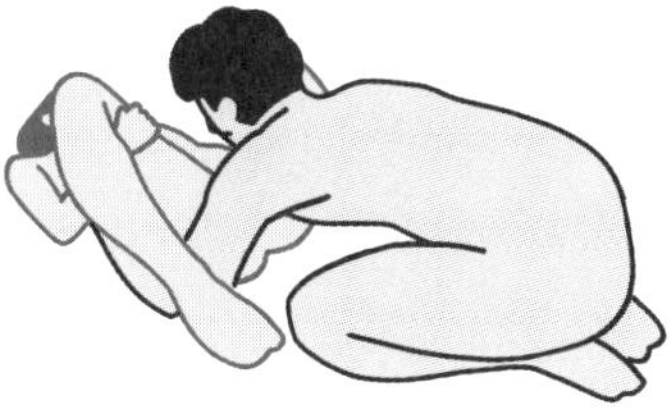

女性自身に開脚してもらえば、
手で複数箇所を愛撫できる

い。長時間舐められるよう、舌を固定したまま、首を動かして舐める。

ここで無理にイかせる必要はないので、あえて外イキするギリギリで止める〝焦らし〟を3～4回繰り返す。その高い興奮状態のまま【⑦人差し指を挿入する】に進むと、強い快感を与えられる。

イかせたいなら、舐める方向は女性のオナニーに合わせる。手を横に動かす人なら横方向に、縦に動かす人なら縦方向に、回す人なら円を描くように舐める。女性に確認するのがベストだが、迷ったら多数派の縦方向に合わせて上下に舐めよう。

☑クンニは10分まで

基本的に、クンニするのは10分間だけ。一度に長時間クンニすると感覚が鈍ってしまい、興奮が高まらない。手マンした後にまたクンニすればいいのでイかせようとせず、中（膣内）の感度を高めるための過程としてクンニする。（ここでしっかり興奮させておけば、体全体が敏感になり、手マンなどの挿入行為がさらに気持ちよくなる）女性の体が近づいてきたり、手の力が強くなったり、口から粘度の高いヌルヌルした液が出てきたら手マンＯＫのサイン。

ただし、女性が本当にイきそうな場合は10分以上続けてイかせてもいい。女性がクンニで外イキした場合、その直後はクリトリスなど敏感な部分は触らない。クリトリスの周りを焦らすようにフェザータッチして、弱い刺激でできるだけ興奮を保ちながら10秒くらい休ませる。それから再度クリトリスを触ったり【⑦人差し指を挿入する】に進む。

☑ 確認するために質問しない

確認するために「気持ちいい？」「イきそう？」と質問するのはプレッシャーになるのでＮＧ。（明らかに「気持ちよさそう」「イきそう」といった確信があるなら、言葉責めとして「気持ちいい？」「イきそう？」と聞くのはＯＫ）

それよりも「エロくてかわいいね」「好きだよ」と言ったり、名前を呼んだりして愛情を伝えたほうが喜ばれ、感度も上がる。

⑦人差し指を挿入する

背中を丸めた姿勢で指を挿入するのはダサい。背筋を伸ばして女性を見下ろし、制圧するような姿勢で視覚的な興奮を与えてから、人差し指で膣口周りを触ってぬめりのある液が出ているか確認する。

女性の腰の裏に手を入れて、腰を少し浮かせて反り腰にさせてから（枕を入れてもOK）、指の腹でニュっと膣口を押し、蒸しパンを凹ませるぐらいの圧でゆっくり挿入

する。興奮が足りていれば、膣口にやわらかく吸着されて入っていく。

さらさらした液しか出ていなかったり、指を押さないと入らなかったりしたら、手マンするにはまだ早い。クンニやフェザータッチで興奮を高めるべし。

☑爪は深爪直前の状態に

伸びた爪は不衛生で危ない。どんな状況で触れても女性の体を傷つけないよう、爪の白い部分が見えないくらいに切って、研いでおく。セックス前に手を洗うのも忘れずに！

⑧人差し指で圧力をかける

人差し指が全部入ったら、10秒以上入れたまま固定しつつ、上奥で指の腹をお腹側に向けてグーッと圧を入れ続ける。それで気持ちよさそうな人はそのまま、動かしてほしそうな人には圧の強弱をつけて「ぎゅうぎゅうぎゅう」と押す。いずれにしても指をゆっくり動かし、圧力をゼロにはしないこと。

☑「トン、トン、トン」はNG

圧力の強弱は○、有無は×。「ぎゅうぎゅうぎゅう」は圧力をかけ続けるが「トン、トン、トン」は合間で圧力がゼロになって解放しているので、途中で快感が途絶えてしまううえに、膣内を傷つけやすく危険。

⑨Gスポットを見つけて、押す

奥まで入っている人差し指を、指の腹で膣壁を押したままゆっくり手前にスライドさせ、一番反応が良いところ（Gスポット）で止めて同じ力で押し続ける。Gスポットは膣口から約5cm奥に位置するクリトリスの裏側にあり、膣内からクリトリスを刺激できる。人差し指でGスポットを刺激しながら、親指で外側からもクリトリスを軽く刺激する。

クリトリスを刺激しながらGスポットを押しつつ、もう片方の手で顔・乳首・体の側面・おしり・足先などを

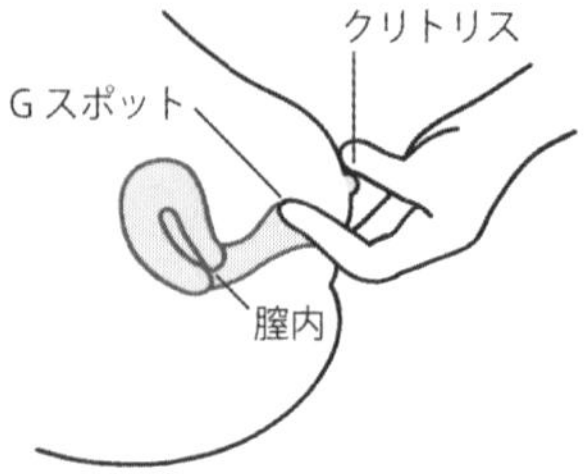

実践動画はこちら!

フェザータッチして、3点責めにより強い快感を与える。ポイントはすべて同じくらいの力で、口も使いながら2～3点を刺激すること。首絞め・噛む・つねるなど、圧力をかける刺激がおすすめ。噛む場合は乳首より上（首や肩など）か、くすぐったがりそうな部分（体の側面、太ももの内側など）を噛む。

☑ Gスポットの都市伝説

> Gスポットは個人差があり「ザラザラしている」「出っ張っている」などは人それぞれ。指を前後に動かして擦って刺激する人が多いが、前戯で興奮させていれば一定の力で押し続ける（擦らない）だけでオーガズムへ導ける。

⑩体位を変えて手マンする

A～Eを、女性の好みに合わせて取捨選択して組み合わせる。特に決まりはないが、複数行う場合は移動がスムーズなA～Eの順番で組み合わせる。

A 女性の足をまっすぐにして閉じさせ、太ももの上に座る。手マンしていないほうの手で女性の肩を抑え、動かないように固定して手マンする。腹部に張りが出て、手マンの刺激を受け取りやすくなる。

B 女性の膝裏を持ち上げて体育座りするような体勢にし、両方の膝を片手で抱きかかえるようにして固定し、もう片方の手で手マンすると深い刺激が入る。

C 女性を横向きにして、自分は座ったまま背中側に回り、女性の上側の手を後ろに引きつつ、膝で腰を後ろから押して反り腰にさせる。張りが出ている上側のお尻（中臀筋あたり）にフェザータッチしたり、ギューッと握って圧力をかけたりしながら正常位と同様に手マンする。女性が右向きなら右手、左向きなら左手がやりやすい。さらにデコルテや首周辺を甘噛みしたり、首絞めしたりしながら手マンを続ける。

D 女性を四つん這いにして肩幅より広く開脚させる。上半身をペタ

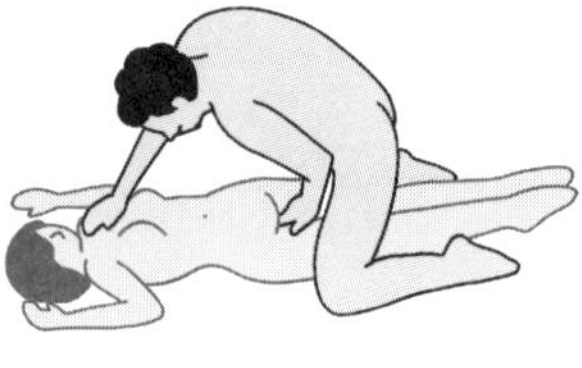

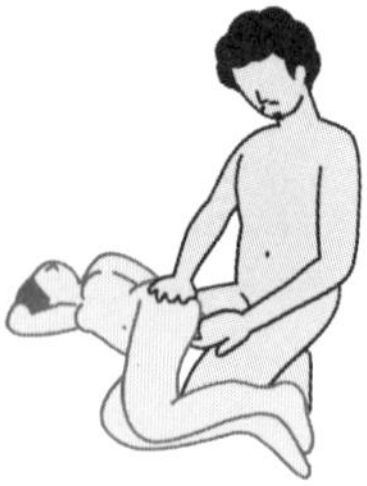

ンと床につけておしりを突き出す格好にし、つま先を立てさせる。腰に手を添え細かく揺すって振動を伝えながら、手マンをする。

Mな女性なら、後頭部の髪を根元からつかみ、手前に引っ張って喉元を反らせる。（力加減は自分の髪の毛で試して把握すること）

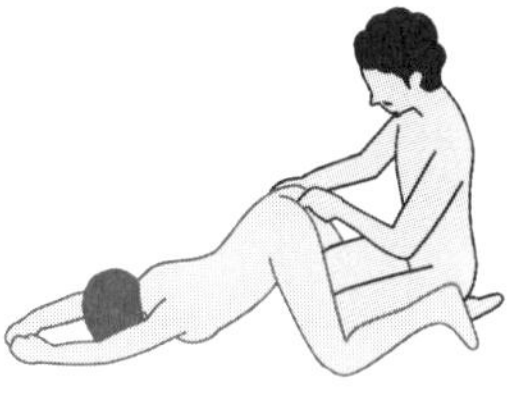

✓髪と膣を同時に刺激する

髪の毛に指を入れ、根元をつかみ、毛の流れに沿って後ろに引っ張る。手マンする人差し指がグーッと膣内を押すのと同じ圧力・タイミングで引っ張る。気持ちいいと、膣の筋肉が指を押し返すように硬くなるので、指で膣を押し返しながら髪の毛も引っ張り続ける。大体6～7秒くらい圧をかけ続けて、ゆっくりと同時に解放するのを繰り返す。

Ⓔ 女性をひざ立ちさせて向かい合う。自分の肩に女性の手を置かせ、指を手前（自分）側に引くような形でGスポットに圧をかけながら、乳首周辺を舐めて刺激する。

⑪呼吸が苦しくなるまで圧迫し、一気に解放する

女性がイきそうになったら、反応がいい場所を刺激し続け「もっと気持ちよくなるよ。ここに集中して」と言って集中力を高めながら、自分の呼吸を止め、息が苦しくなるまで押し続けて圧迫する。息を止められないくらい苦しくなったら、一気に解放して圧力を緩めるのを何度も繰り返し、女性の頭皮が汗で濡れるまで続ける。

☑セックスの本番は手マン

手はペニスよりもコントロールしやすく長く愛撫できるので、一番女性の興奮を高めやすい。最終的に、女性の頭皮がしっとりするくらい発汗していたらＯＫ。適宜キスやハグもして、愛情を伝えるのを忘れずに！

⑫手マンとクンニを同時にする

手マンが60％、クンニが40％の割合で、膣内とクリトリスを同時に刺激していく。女性の好みに合わせて調整していいが、先に外イキさせると女性の回復を待つ時間が生まれてしまう。中を刺激する手マンの比重が大きいほうがなだらかに興奮を保てるうえに、中イキしやすく外イキも誘発されやすい。

手マンに比重を置くと中イキに繋がりやすく、クンニに比重を置くと外イキにつながりやすい。「中だけでイったことはないけど、中と外を一緒に刺激されてイったことはある。これは中イキなのかなあ?」と疑問を持つ女性が一定数いるが、大抵の場合は外イキである

✓クリトリスの剝き方

基本的にクリトリスは剝かなくていいが、興奮して中イキしている状態ならOK。クリトリスのちょっと上に人差し指の第二関節をぴったり当て、ゆっくり上に皮膚を引き上げる。クリトリスを舐めるときの半分くらいの力(触れるか触れないかくらい)でやさしく舐める。吸う場合は、軽く吸ってやわらかい舌を当てるくらいで十分気持ちいい。舌を動かさず、首を使って舐める。

⑬フェラしてもらい、コンドームをつける

フェラがOKな女性であれば「なめてー?」とやわらかい口調で伝え、フェラしてもらう。「それめっちゃ気持ちいい」とリアクションしたり、頭を撫でたり、「好き」

と言ったりして、愛情や好意を伝える。フェラの体勢によるが、肩や腕、背中などをライトな場所をフェザータッチし、女性に安心感を与える。ペニスが勃ったら、ハグやキスをする流れでやめさせる。

事前にコンドームの袋の口を破っておき、ディープキスなどをしながらコンドームをつける。10秒以内につけられるように練習しておくこと。女性にコンドームをつけさせて、プレイの一環にするのも○。女性がつけ方を知らなければ、一緒につける。

☑ フェラする女性を萎えさせない

相手から聞かれない限り「もっとこうして」といった要望は伝えない。胸を揉む、乳首を触るなども女性の気が散るためしないほうがいい。イラマチオはややハードなので、イラマチオが好きな女性か、喉で快感が得られる女性だけに行う。自分も声を出したり身体を動かしたりしっかりリアクションして気持ち良さを伝える。

⑭焦らしてから挿入する

挿入の基本

基本的には手マン（⑦人差し指を挿入する〜⑨Gスポットを見つけて、押す）と同じで、手がペニスになっただけ。ペニスを出し入れするというよりも、圧力を入れる・抜くの繰り返し。ペニスを奥まで挿入して固定したまま、骨盤を後傾させて（お尻の穴を締めるイメージ）グーッと押しては力を抜き、腰を「ぎゅうぎゅうぎゅう」と密着させる動き（圧力）だけで快感を与える。同時に、体にフェザータッチをする。

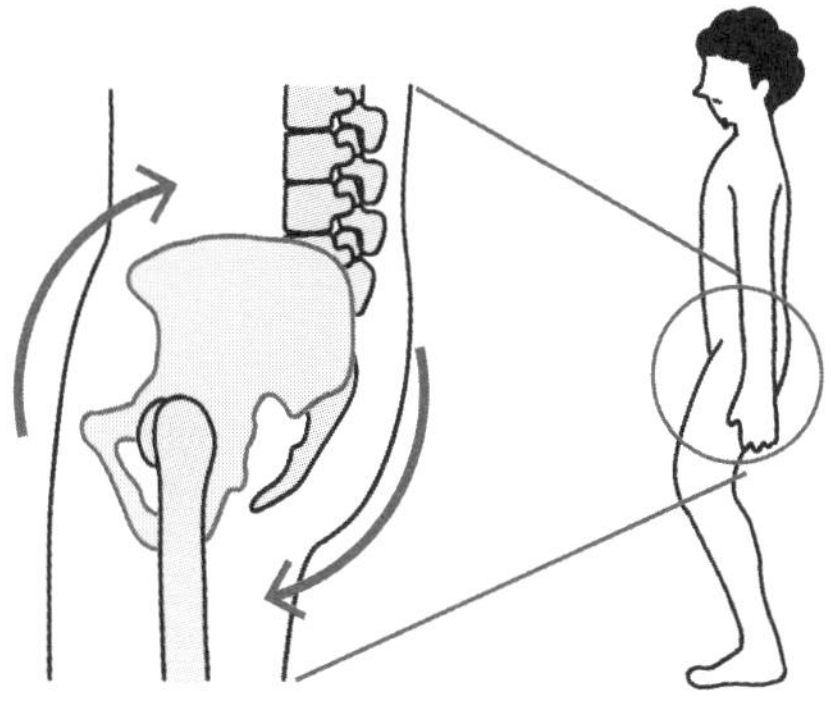

☑ 高速でパンパンさせない

圧力をかければ気持ちいいので、高速でパンパン鳴らす必要はない……が、ペニスを出し入れする動きに興奮する人も多いため、ピストンする場合はゆっくりと行う。ゆっくりの出し入れで気持ちよくないとしたら、圧力か興奮が足りない。スローセックスのほうが気持ちよく長時間楽しめるので、高速のセックスからは卒業しよう。

体位

女性は張る姿勢や反る姿勢だと快感を得やすくなるので、胸を開かせたり、お尻を突き出させたりして張りを出すようにする。反り腰にするのも効果的。

体位に迷ったらA～Dの体位を使い分けるか、併用しよう。

実践動画は
こちら!

A、ハグ（万人受け）

ハグで密着した正常位。抱きしめながら、ペニスを持ってクリトリス周辺に回し当てる。膣口に入れそうで入れない状態を10〜20秒ほど続け、女性が腰をすり寄せてきたらゆっくりと挿入する。挿入するときは、「やば」「うわ」「気持ちいい」「すごい締まってる」など、シンプルな感嘆詞や感想を伝える。手が空いていたら、頭や背中を撫でる。

挿入してから10秒以上は動かさず、奥に向かってグーッと圧力を入れ続ける。ハグしたりキスしたりしつつ、別の場所にも圧力を入れたり抜いたりして刺激する。

B、正常位（信頼関係ができている）

密着しない正常位は男性優位の体勢なので、男性が女性に信頼されている状態で初めて成立する。男性は背筋を伸ばしたまま座っているような体勢で、女性と男性の角度は90度。男性が主導権を握り、挿入前に「入れるよ?」「入れたいねえ」とペットを愛でるように言い、ペニスをクリトリス周辺に当てながら焦らす。挿入以降の流れは【A、ハグ】と同じ。

首絞めが好きな女性なら、膝周辺で女性の足先を抑えて開脚させてから、上方向に喉元をピンと張る状態にして片手で首絞めをすると、感度が上がり膣が締まる。脇や足の指など、心を許している人じゃないと触ってほしくない場所にも触れるのも〇。

C、バック（犯す感じが好き）

女性がMで犯される感じのセックスが好きな場合は、バック（後背位）で挿入する。四つん這いでおしりを突き出させ、ペニスをクリトリスに回し当てて焦らしてから、ゆっくりと挿入する。

さらに変化をつけたい場合は、後頭部の髪を根元からつかみ、引き寄せて上半身を反らせながら体を起こし、自分の上に座るような体勢に。手を後ろに引き、さらに髪を下へ引っ張って上を向かせる。途中でキスするなどやさしいターンを挟むのがコツ。

D、体位を変える（フルコースで楽しみたい）

体位を変えるときは、体を一気に動かさず「右足を動かす」「左足を動かす」「右手を動かす」「左手を動かす」というように、1パーツずつ手を添えてゆっくり動かしていくと、スムーズかつスマートに体位を変えられる。

できるだけペニスを抜かないほうがいいので、以下の順番で挿入したまま体位を変えるのがおすすめ。

1 正常位

①女性が仰向けになり、足を自然に開いた状態で挿入する。やり方は【B、正常位】と同じ。

2 側位

②女性の膝を持って横に倒しながら横を向かせ、③自分の足を伸ばして背中側に回り、女性の上側の腕を後ろに引いて反り腰にする。④腰を押し当てペニスで深い圧力をかけ、張りが出ている上側のおしり（中臀筋あたり）や胸周辺にフェザータッチし

①
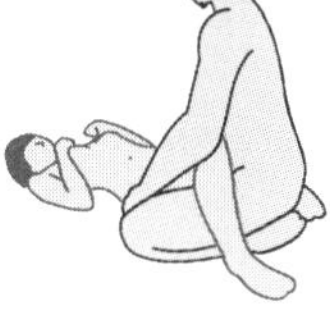

②
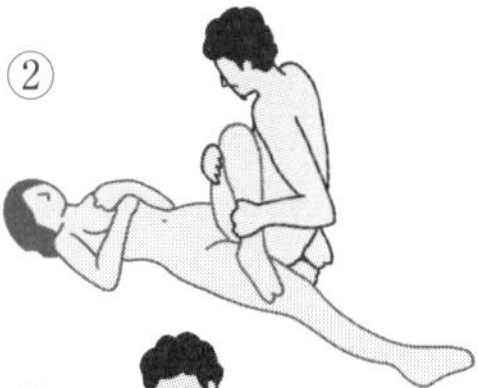

③
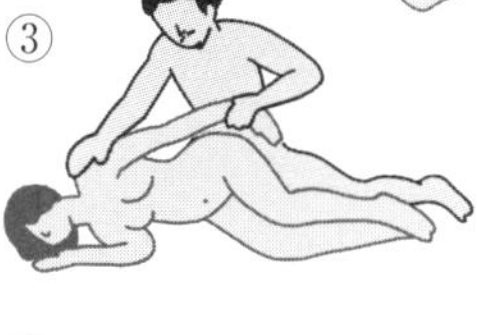

④

たり、おしりをギューッと握って圧力をかけたり、デコルテ周辺を甘噛みしたりする。

3 寝バック

⑤自分が女性を押すようにしてうつ伏せにして、⑥女性の右足と左足の間に割って入るようにして足を開かせ、骨盤を両手で持ち上げるようにして反り腰にし、ペニスを斜め下30度の角度でクリトリス方向へ圧力をかける。

4 バック

⑦左の骨盤と右肩に手添え、上に引き上げるようにして四つん這いにさせ、足を肩幅より大きく開脚させる。⑧上半身をペタンと床につけ、おしりを突き出させる。つま先を立てさせてから、ペニスを奥にグーッと押しつけるようにして刺激する。

⑤

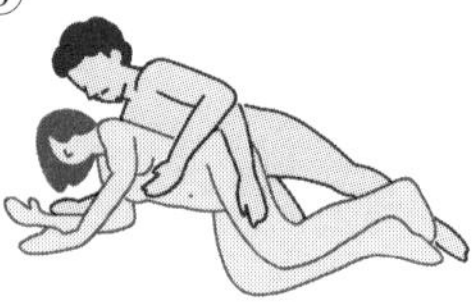

⑥

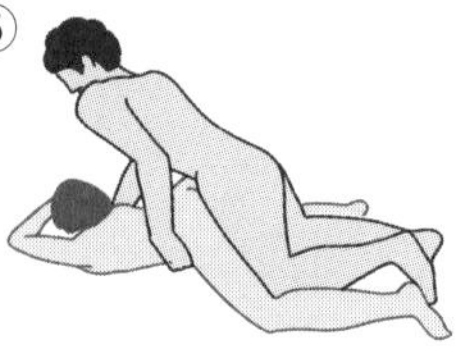

⑦

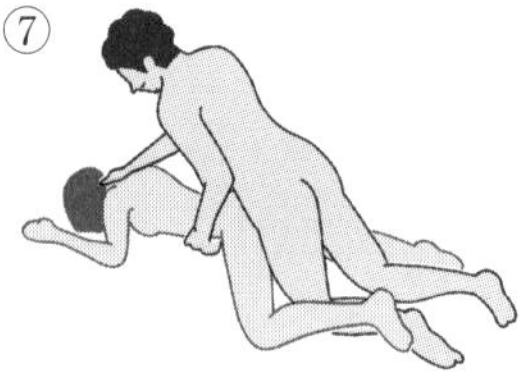

⑧

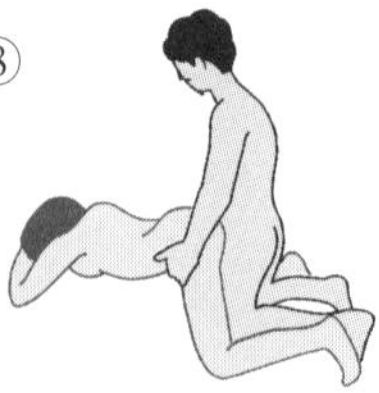

5 ロールスロイス

⑨女性の両肩を後ろに引いて腰を反らせながら上半身を起こさせ、⑩女性が自分の上に座るような体勢にする。骨盤だけを動かす（後傾させる）感覚でぐっぐっと圧を入れる。途中で上を向かせて首に反りを出させたり、下腹部に手を当てて圧を加えたりするのも◎。Gスポットを経由してポルチオに届く角度で刺激できる。

⑨
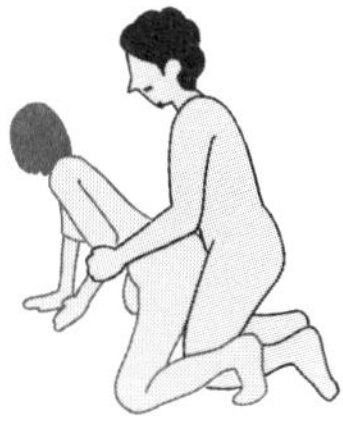

⑩
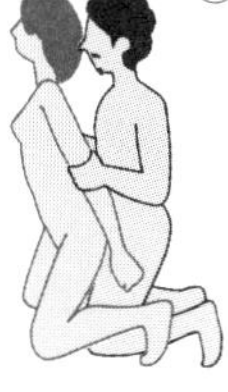

6 正常位

射精コントロールしやすいので、最後は正常位が安定。お互いの興奮が高まるにつれて「気持ちいい」「ああー」など直感的な言葉を伝えながら盛り上げる。女性がイキそうになっていたら「イクイク、イク」と自分のセリフのようにアテレコし、お互いの興奮を高め切ってから射精する。最後は強く抱きしめ、キスする。

✓偏差値低めの言葉が効く

興奮が上がりきった状態は頭が回らないので、「うわ」「ヤバい」「すごい」「気持ちいい」くらいシンプルな言葉を大きめの声で言う。男が大きな声を出すことで、女性も感情を出しやすくなったり、体を動かしやすくなったりする。

1：9での言葉責めでは、自分もヒートアップする。「もっと気持ちよくなっていいんだよ、もっともっと」と自分の情熱をぶつけ、女性の興奮を（ある意味）暴力的に引き上げていこう。

✓潮吹きはパフォーマンス

女性が「潮吹きは気持ちいい」と言う場合、実際は手マンによる快感も大きい。なので強引に潮吹きさせようとすると、膣内の気持ちよさが伴わず逆効果になることも。ある程度セックスして、膣内の準備が整ってからのほうが潮吹きしやすく快感が伴うので、潮吹きは射精前の休憩や1回戦の後に行うのがおすすめ。

ペニスをいったん抜いて、女性をひざ立ちにして向かい合い、力を抜いてもらう。そのまま手マンすると、Ｇスポット周辺でやわらかくポワーンと膨らむ場所がある。そこを中指と薬指で少し掻き出すように刺激し続けると潮吹きしやすい。

1：9のゴールサイン

○表情が崩れる
○大きな声が出る
○手を強く握る
○目の焦点が合っていない
○口が半開き
○汗で頭皮まで濡れている
○体が脱力して弛緩している
○触れるだけで身体が反応する

後戯（所要時間：10分～）

ケンジ：後戯はマナーだから、セックスが終わってすぐにタバコを吸ったりスマホを開いたりするのはマナー違反だ。女性から離れず、密着したままフェザータッチしたりピロートークをしたりして、ゆるやかにクールダウンしよう。より強い信頼が生まれ、もっと気持ちいいセックスの土台になる。

①フェザータッチしながらキスする

全身へのフェザータッチをだんだんゆるやかに弱めていき、クールダウンする。人によっては余韻でイくこともある。

抱きしめながらお互いを感じ取るようなキスをして、頭や背中など安心を感じる部分をやさしく撫でる。手をやさしく握って体をさすりながら、頬や耳など顔全体にキスして愛情を伝える。

②セックスを深めるピロートークをする

ピロートークでは「気持ちよかった？」など気を遣わせる質問はしない。先に自分の気持ちを伝えて安心してもらい、心から楽しめるような質問を心がける。そこで相手の性癖・性感帯などの情報を集め、次のセックスに活かす。

1回目のピロートーク

①愛情を伝える

「めっちゃかわいかったし、気持ちよかったよ。マジで好き。もっと知りたいし、セックスもしたいな」

②今回の振り返りをする

「俺、やさしく触れてた？　痛くなかった？」

「さっきので、どういう瞬間が好きだった？　楽しかったプレイはある？」

2回目〜∞のピロートーク

①愛情を伝える

「この前より気持ちよかったよ。もっと好きになった。かわいかったよ。これからもそういうところ見たいし、いろんなことを知りたいな」

②今回の振り返りをする

「俺、やさしく触れてた？　痛くなかった？」

「さっきので、どういう瞬間が好きだった？　楽しかったプレイはある？」

③次回の提案をする

「今度してみたいことはある？」

「こういうのやってみたいんだけど、一緒にやってみない？」（ソフトなプレイの提案）

☑強制的にやらせるのはNG。「本当はやりたくないけど、喜ぶなら」と女性に気を遣わせると、どんどん女性が求めるセックスからかけ離れてしまう。

ケンジさんという人（編集A）

派手な柄物の服、アフロ風の天パ、そして髭。きわめて南国な風貌で、プロフィールのキャッチコピーは『セクシーデンジャラス』。さぞかし陽気でにこやかな人だろうと会議室で待っていると、ドアを開けて入ってきた青年は「どうも、ケンジです」と仏頂面で頭を下げた。

え、南国っていうより北国？

虚をつかれたが、本当に札幌出身らしい。イメージとのギャップが大きすぎて、平静を保つのに苦労した。

その後も淡々と話すので「セラピスト……だよね？」と一瞬疑ったものの、取材を始めたら紛れもないナンバーワンセラピストだった。性感マッサージの話になると目が爛々として早口になり、狂気じみたストイックさが匂い立つ。身振り手振りを交えて話しながら、体で覚えている動作を表現する言葉を探している。その姿から、膨大な経験と思考が見えた。

――ああ、この人は職人なのだ。本気で女性用風俗の仕事に向き合い、技術を高め、自己実現しようとしている人だ。

そう確信し、正式に出版を依頼しようと決めた。

◇

風俗業界で長く働く人は珍しい、と思う。ましてや本気でその道を究めようとする人は、ほぼいないのではないだろうか。なのに、どうしてこんな熱量があるんだろう。じっくり話を聞いているうち、異常なまでにセラピストの適性を持っていることに気づいた。

あらゆる女性を受け入れる適性、エロを好む適性、万人とコミュニケーションする適性、お金で割り切る適性、性に本気で向き合う適性、人と比較せず我が道を進む適性。セラピストには一般的な仕事と異なる特殊な適性が多々あり、ケンジさんはそれらすべてを兼ね備えていた。

尖った個性で〝普通〟になじめなかった経験があるケンジさんにとって、女性用風俗はなじみやすく、生きやすい場所だったのかもしれない。そして認められ求められるようになるにつれて、自分の存在意義や使命感を見いだし、ナンバーワンたり得る矜持が培われたのだと思う。

目的として得たナンバーワンではなく、結果として得たナンバーワン。ケンジさんの言葉を借りるなら「イかせようとしてイったのではなく、自然とイった」のである。あ、セラピスト首位の座にね。

◇

ちなみに、取材中のささいなやり取りからもセラピストの片鱗を感じた。私のコーヒーカップに水滴がついているのを見るなり、「どうぞ」とお手拭きを差し出してくれた。「さすがセラピスト…」と感心してお手拭きを受け取ったら、なんと袋の口まで開けてあり「さすがナンバーワン…!」と震えた。

さて、最初はちっとも笑わなかったケンジさんだが、取材を重ねるにつれて表情がやわらかくなり、よく笑うようになった。

心を開いてくれてうれしい……と思わせるテクニックだったらどうしよう。そういえば「ギャップを作ってかわいがられるのが得意」だと言っていた。底知れない人である。

その底知れなさで、女性の〝性〟に関する固定観念に風穴を開けてほしい。この本がその追い風となったなら、これほどうれしいことはない。

ケンジさん、その個性を貫いてください。あなたはやっぱり熱く燃えた、南国の人です。

4章

プロの性癖オプション

～応用テクニック～

ケンジ：最後はセックスの応用編だ。女性用風俗にはオプションがあり、メジャーな性癖からマイナーな性癖まで、あらゆる趣味嗜好にプロとして対応する。なんとなくでやっているプレイややってみたいプレイなど、改めて学んでほしい。

ただ、この方法だったらだれでも気持ちいいってわけじゃないし、人によって何をどこまでできるかは違うので、相手の性癖や適性を見極めて活用すること。本で基本を学んだら、ベッドで「気持ちいい」をカスタマイズしてほしい。

噛みつき（甘噛み）

基本的には万人受け。「噛まれるの苦手？」と聞いて確認する。

積極的に取り入れたい行為なので、判断に迷ったら女性のハグの強さで見極める。

向いている人

・強く抱きしめてくる人
・噛まれるのが怖くない女性
・ソフトSM（スパンキングや首絞めなど）の経験がある女性

やり方

フェザータッチや手マンのタイミングで、首・肩・デコルテ（痛みを感じやすい張っている部分）を噛む。リップ中に織り交ぜるのも○。女性がイきそうなときは、下腹部やみぞおち（イくときに力が入る部分）を噛むと、緊張が入ってイきやすくなる。

同時に刺激している場所と同じくらいの圧力で噛むのが基本だが、痛みがどれくらい好きかによって強弱を調整する。表面だけを噛むと痛いので、ゆっくり深部に圧を咥えるイメージでグーッと噛んでいき、女性の表情や反応を確認する。

○ グッと噛み締めるような表情、みぞおち・下腹部・手に力が入って固くなる、喘ぎ声が出る

× 反射的に引きつった表情、噛んだ場所を反らせて逃げようとする、悲鳴に近い声が出る

噛みつきの力加減に迷ったらソフトグミを噛むぐらいで試すか、「痛くない？」と聞いて確認する。痛みに強く、思い切り噛まれるのが好きな人だと、硬いステーキ（スーパーで買うような肩ロース）くらい強く噛む。痣がつくレベルなので、自己判断で

勝手に噛まないこと。

注意点

急に噛んだり離したりせず「ゆっくり噛んで、ゆっくり離す」の2ステップを規則的に繰り返す。安心1：興奮9になったら、少しテンポを変えて変則的にしたり、速くしたりして緩急をつける。

目隠し

「目隠しは嫌？」と聞いてOKなら活用していい。視覚を遮断することで、集中力が増して感覚が鋭くなる。集中してほしいときによく活用する。

向いている人

・視界を奪われること（暗闇）にあまり不安がない人。あるいは、不安より興奮のほうが強い人　・照れてなかなか集中できない人　・行為中に目がよく動く人　・外見にコンプレックスがある人　・オナニーではイけるけど、セックスではイけ

ない人（人目があると集中できない）　・羞恥プレイが好きな人

やり方

①あらかじめ目隠しをベッドサイドに置いておき、安心4：興奮6【⑤耳を責める（p・152）】のタイミングで目隠しする。※上手い人なら、安心7：興奮3【④髪の上から耳に口づけ、吐息を伝える（p・146）】で取り入れてもいい。

②「つけるよ」と言って目を閉じさせ、目隠しをゆっくりつける。

③女性の髪の毛を整えてあげる。（整えないと、女性自身が気にして集中できない）

④耳にフェザータッチしたりリップしたりして、「かわいいね」「気持ちいいね」など囁き言葉責めをする。

✓目隠しオナニー

羞恥プレイが好きな女性なら、目隠しオナニーをさせよう。

①足をM字開脚でゆっくり開かせ、できたら「えらいね」「エロいね」と褒める。

②オナニーさせて「気持ちいいね」「濡れてるね」と言葉責めする。
③そのまま四つん這いにさせて、手マン・クンニ・挿入の前に、目隠ししたままクリトリス周辺をフェザータッチして焦らす。

首絞め

お互いに信頼関係があり、やさしく気持ちよく刺激できていれば、大抵の女性は受け入れてくれる。

向いている人

・首絞め（暴力）にトラウマや恐怖心がない人　・Mな人　・自分との信頼関係ができている人　・中イキしたい人

やり方

安心1：興奮9　【⑪呼吸が苦しくなるまで圧迫し、一気に解放する（p・174）】の段階で、手マンにより興奮が高まってきたら、より緊張を入れるために首絞めする。首絞めで呼吸を止めさせて、低酸素状態になり苦しくなったタイミングで解放することで、筋肉が弛緩して中イキしやすくなる。

押すのは首の左右だけで、絶対に中央のライン（喉仏があるライン）は触らない。片手で首を挟み、耳の裏からまっすぐ下に伸びる首筋（胸鎖乳突筋）を左右からゆっくり圧迫する。

より強い首絞めを希望する女性には、首筋に加えて頸動脈も締める。頸動脈は首筋にある太い血管で、触るとドクドクと脈打つ感覚がある。

首を絞める長さは、自分も同じタイミングで呼吸を止めて感覚を測るのがわかりやすいが、10秒くらいが目安。膣内がぎゅーっと硬くなってから放す。女性が苦しい場合は締めている手を引っ張られるのですぐに放す。もっとしてほしいときは、締めている手に自分の手を添えてくる。

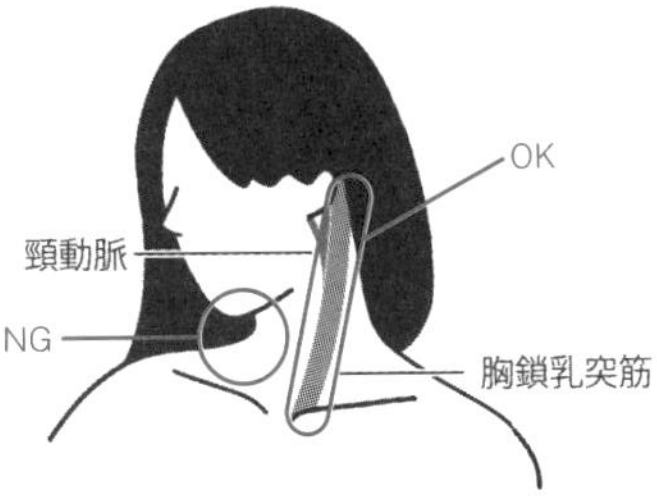

オモチャ責め

女性の反応が鈍くなってきたタイミングで使う。

向いている人

・指や舌などの刺激に慣れが出てきた人
・セックスそのものにマンネリ化してきた人

やり方

電マ（ハンディータイプの電動マッサージ器）・バイブ・ローターが人気。こうしたオモチャで刺激を入れると新しい快感を得られる。また、オモチャから指の刺激に戻ったときに改めて指の気持ちよさに気づき、改めて快感を得られる。いずれも安心1：刺激9の段階で活用する。

女性のオナニーでも人気な鉄板アイテムは以下の3つ。

電マ：万人受けのオモチャ。弱い刺激で十分外イキできるので、弱い出力にする。電マの先端ではなく、横の部分をクリトリスに軽く当てる。

ローター：電マの弱いバージョン。振動が分散されるタイプが多く初心者向き。「オモチャに興味があるけど、少し怖い」と感じる女性でも試しやすい。電マと同じように、先端の横の部分をクリトリスに当てる。

バイブ：挿入も可能なローターのような感じ。クリにも使えるし、膣内にも入れられるので汎用性がある。中に入れてから振動させると刺激が強いので、振動させながら中に入れる。クリトリスに当てながらペニスを挿入したり、バイブを中に入れながら上半身を責めることで、疑似3Pができる。

注意点

どのオモチャであっても、強く押し当てたり素早く出し入れしたりするのはNG。AVだとそのように使われるが女性の快感にはつながらない。オモチャを自分の体の一部だと思って、今まで教えたとおりの〝丁寧でやさしい触り方〟を意識してほしい。

拘束

目隠し同様に万人受けで、未経験でも興味を持っている女性が多い。初心者は手首の拘束から入るのがおすすめ。

向いている人

・自由を奪われることに抵抗がない人
・支配されたい人　・受け身な人

やり方

タオル、手錠、ボンテージテープ（静電気でくっつくテープ）のいずれかを用意して、ベッドの近くに置いておき、好きなタイミングで使う。わりといつでも使える。目隠しと併用するのもおすすめ。

①女性の両手を正面で拘束し、腕を上げさせる。わきの下や体の側面に張りが出る

ので、そこをフェザータッチやリップで刺激する。
②手首を後ろ（背面）で拘束する。正座で足を開かせ、後ろから太ももやおしりをフェザータッチしたり、首筋を舐めたりして焦らす。
③女性を仰向けで寝かせ、ひざ上とひざ下を片足ずつボンテージテープで巻いて拘束し、足を開かせる。
④クリトリス周辺をフェザータッチし、クンニや手マンをする。

注意点
血が止まらないよう、遊びを持たせること。ギチギチに拘束せず「手（足）が抜けないけど動く」くらいの加減にする。

言葉責め

大体の女性がMなのでほぼ全員にできるが、性癖に合わせて言葉の種類を調整する。

向いている人

・Mな人　・自信がない人　・受け身な人　・いじめられるのが好きな人　・恥ずかしいのが好きな人

やり方

女性は男性よりも言葉を求めるため、意識的にたくさん行う。エロい言葉だけでなく、愛情表現や名前を呼ぶのも言葉責めの一環。言葉責めというより〝言葉添え〟というイメージで、女性がうれしく感じる言葉（「かわいい」「好き」など）を使えば失敗しない。おすすめはA〜Cの3パターン。

A、相手の反応を実況中継する：「あったかくなってきたね」「濡れてるね」
B、自分の感情を伝える：「好き」「うれしい」
C、自分の感想を伝える：「気持ちいい」「かわいい」

①安心9：興奮1〜安心7：興奮3

「かわいいね」「綺麗だね」など感想（褒め言葉）を伝える

②安心4：興奮6

興奮が高まってきたら「濡れてるね」「腰が動いたね」などと実況中継をする。

③安心3：興奮7

快感に集中してほしいので、言葉数を少なくするか、シンプルな言葉（「ヤバい」「エロいね」など）だけにする。

④安心1：興奮9

「ああ、気持ちいい」「イくイく」と自分の快感を伝える言葉を伝えつつ、相手の快感も代弁して興奮を煽る。

ポイントはそのままストレートに伝えること。ただし「マンコが締まってる」「ビチョビチョだね」など露骨な表現は、好きな人にしか刺さらないので要注意。「いつもよりきついね」「どんどん濡れてきたよ」など、こちらの感想として伝える。

注意点

AVに多い質問系（「イきそう？」「気持ちいい？」）と煽り系（「ここが気持ちいいんだろ？」「もっと声出していいよ」「イきなよ」）はタブー。質問すると女性に考えさせてしまって集中力を奪うし、煽るとまだ興奮が高まっていないのに「ほら、気持ちいいだろ?」と聞いてくるサムい男になりがち。本当にイきそうなときに言うなら問題ないが、勘違いの可能性があるので、相当自信がない限りは言わないほうがいい。※3章「確認するために質問しない」(p・167)参照

スパンキング

そこそこMな女性が好む。痛みが好きな女性もいれば、責められている感(叩かれている音)が好きな女性もいる。

向いている人

・M度が強い人　・強く噛んでも大丈夫な人
・軽く叩いたときに「あん」と喘ぐ人　・厳しい家庭で育った人

やり方

刺激が強いので、安心1:刺激9の段階で行う。女性を四つん這いにさせ、反り腰

にしておしりを突き出させ、ピンと張っている大臀筋のあたりを叩く。

手を広げてパーにするのはＮＧ。表面だけに刺激が入り、叩く側も叩かれる側も無駄に痛い。拍手するときのように親指から小指まで密着させ、手のひらを軽く丸め、叩く場所と自分の手の間にわずかな空洞を作るイメージで叩く。叩いたときの振動が体の奥に伝わって深い刺激が入り、いい音が鳴る。

連続で叩く場合、すぐに手を放さず、叩いた後も一拍分くらい手を置いたままにする。基本的には一定の強さ・リズムで叩き、女性が慣れてきたら強弱をつけ、不規則なリズムで叩く。

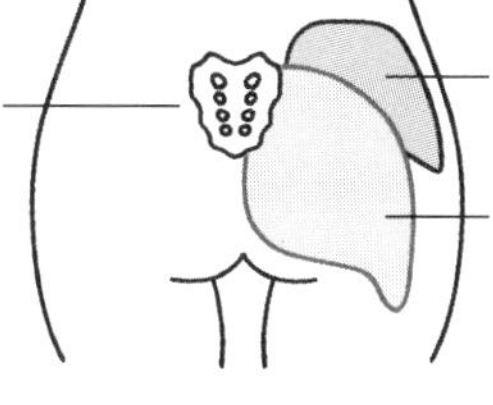

ケンジさんという先輩（セラピスト・ケンスケ）

ケンジさんは、普通の人が持っていないものをたくさん持っています。
ユーモアだったり、ストイックさだったり、自分の人生の責任だったり。
とてもすごい人です。

出会ったころからすごい人だった、わけではありません。ちょっとすごい、くらいでした。
気が付いたら、本当にすごいケンジさんになっていたんです。

◇

初めて会ったのは、名古屋秘密基地の面接でした。
今まで会ったことがないタイプの人で、とても〝圧〟が強く
「これが圧迫面接か……」
とつぶやいたのは内緒の話。

怖いけど、ミステリアスでおもしろそうな人だと思いました。

面接の後は
「彼から得るものは多そうだ、盗みまくろう」

と上機嫌で電車に乗りました。

そこから、とっても濃いセラピスト人生が始まったんです。

◇

ケンジさんと過ごしていて、ありがたいなあと思ったエピソードがあります。

なんと3つもあります。


1つめは、デビュー当時の僕をかわいがってくれたこと。

ケンジさんはパーティーピーポーのような見た目ですが、さみしがりやです。

うさぎちゃんです。

週に5回は食事に誘ってきました。もはや彼氏です。北海道から名古屋に来たばかりで、知り合いがいなくてさみしかったのでしょう。

でも、僕にだって予定があります。LINEで

「友達とスマブラをやっているから無理です」

と返したら、10分後には家に押しかけてきて、コントローラーを持ったまま呆然とする僕に「飯いくぞ！」と言ったこともあります。

飯の恐喝です。

僕は、ごはんをかき込むケンジさんに仕事のアドバイスを求めました。

セラピストになっても、最初からたくさん予約が入るわけではありません。

ケンジさんはあまり説明が上手ではありませんでしたが、大事なことをたくさん教えてくれました。

恐喝されながら得た大事な情報なので、ここには書きません。スマブラする時間は奪われましたが、新人時代にたくさん構ってもらえたことは、僕の宝物になりました。

◇

2つめのありがたエピソードは、僕が自分の売り上げに満足してしまったときに、

「ケンスケはもっとできるんだから、もっと売り上げを作れ」

としつこく言い続けてきたことです。

本当にしつこかったです。だって2か月も言い続けてきたんですよ。しつこすぎるでしょ。

でも、このしつこさがありがたかったんですよね。

2か月もしつこく「やれ」って言われたこと、ありませんでした。

お母さんにもお父さんにも言われなかったです。

普通、2か月も言い続けないでしょ。

ケンジさんがしつこかったおかげで、僕は人気セラピストになり、見たことのない景色を見れています。

かけがえのない宝物2です。

◇

3つめのありがたエピソードは、僕を励まし続けてくれたことです。

おかげで人気セラピストになり、24時間フルで予約が埋まりだしたころ、

「このままだと体を壊す気がする」

と不安になりました。

セラピストになる前は普通の営業マンだったので、週7日24時間体制で仕事するのは初めてだったんです。そりゃそうか。

もちろん、ケンジさんに相談しました。

「それは体がつらいの？　精神がつらいの？」

と僕の瞳をのぞき込むケンジさん。

「体です」

と答えると、彼は大きくうなずいてこう言いました。

「よし、もっと頑張れ」

ケンジさんがそういうなら、このまま走り続けよう！

そう思い、がむしゃらに頑張りました。

3日後、僕は逆流性食道炎になって倒れました。
ケンジさんは、内勤スタッフに
「ケンスケには休養が必要だ」
と伝えてくれたそうです。

いや、アンタが頑張れって言ったんだろ！

……と思いましたが、今では感謝しています。ホントです。

だって、人は経験して初めて学習する生き物ですから。

彼がここまで考えていたかは知りませんが、ええきっと、考えていたに違いありません。

そんなわけで、かけがえのない宝物3になっています。

◇

ケンジさんのおもしろいところは、人を見捨てないところです。

僕に2か月も「もっとできるんだから、もっと売り上げを作れ」と言い続けたのも、見捨てないから。

でも、そんなケンジさんについていける人は少ないな、と感じています。

ものすごいスピードでどんどん成長するケンジさん。

ケンジさんといっしょに同じスピードで成長できる人がいたら、もっと楽しそうにするんだろうな。

もっと熱心に、何かに取り組むんだろうな。

そう思いながら、彼の背中を見ています。

え？　僕がそうなればいいんじゃないかって？

どうかなあ。できるかなあ。

僕なりに走ってみるので、ちょっと考えさせてください。

◇

変わり者のケンジさんは、とんでもない人気者です。

彼の代わりはどこにもいません。

今まで出会ったことがない人で、新しい体験をさせてくれるから、いつも人を驚かせ、感動させます。

僕だって、彼に感動させられている人間のひとりです。

しょっちゅういっしょにいますが、常人にない発想がポンポン出てきておもしろいです。

これからも想像以上の先輩でいてほしいとワクワクしながら、その背中を見ています。

風俗業界に救われて思うこと

「職業に貴賤なし」なんて嘘だ。

俺は野心家なので「いつか起業したい」と思っているが、セラピストという肩書じゃ国も銀行もお金を貸してくれないだろう。家でさえなかなか借りられないんだから。

風俗に限らず、ホストやキャバクラなど〝夜職〟と呼ばれる仕事は大体そうだ。世間から信用されていない。社会で生きるのに「不利だ」と感じることがあまりにも多くて、それが「不幸だ」と思う。

人をだますような悪い仕事だったら、認められなくてもしょうがない。でも3年以上セラピストとして働いて、1、000人もの女性を接客してきて、悪い仕事だなんて感じたことは一度もない。女性用風俗の店舗数がどんどん増えているのは、ちゃんと女性から求められている証だ。寿司屋で食事をしていたら、近くの女性が女性用風俗の話をしていたくらい浸透し始めている。

何よりも、ほぼ全員のお客様が、お金を払いながら「ありがとう」と言ってくれる。そんな仕事が〝悪い仕事〟なわけがない。


俺はもともと夜職に偏見がなかった。というか、あらゆる人・モノ・コトに偏見がない。子どもの頃から、人を見た目で判断する風潮が嫌だった。大人になってからは、人を職業で判断する風潮が嫌になった。総理大臣もトラックの運転手も、ＯＬも風俗嬢も、俺からしたら何の違いもない。


でも多くの人は、その人の属性で人間性を判断するし、自分と違うタイプの人を遠ざける。

違うからおもしろいのに。目の前の人を、ただ目の前の人として見ればいいのに。

そう思ってみんなと分け隔てなく仲良くして、どんな人でも笑わせようとしていた俺の周りには、いつもたくさんの人がいた。

でも、大学生になって誰も知り合いがいないキャンパスに行ったら、大嫌いな集団心理と同調圧力が渦巻いていた。知らない人間同士が集まると「いかにうまくグループに入るか」の勝負になる。個々の人間性が無視された集合体に、俺はうんざりしてしまった。

何よりも、そんな集合体になじもうとする自分が一番気持ち悪かった。

すぐに大学を中退してフリーターになり、居酒屋とメンパブを掛け持ちしていたことはすでに書いたが、実は昼の仕事も1回だけした。コールセンターでのテレアポ業務だ。

大企業で給料はそこそこよかったが、まあきつかった。みんなが〝ちゃんとしている〟のもきつかった。それでいて、昼休みに飛び交う会話は噂話や愚痴ばかり。昼の仕事をしたら新しい何かが得られるかと思ったけど、そこで得られたのは「電話は高い声で話したほうが印象がいい」という知識だけだった。

やっぱり、俺が心から楽しめるのは夜の仕事だ。夜、みんなのだらしないところ、人間らしい本性を見るのがおもしろくてたまらない。酒に酔って出る本音、快楽に酔って出る喘ぎ声。どっちもすごくおもしろい。この人にこんなものが潜んでいたのか、とワクワクした。

いろいろ御託を並べてみたけど、大学にも昼の仕事にもなじめなかった俺は、青く尖っていたんだと思う。小さい頃から運動や勉強がそつなくできたから「俺が一番だ」という奢りがあった。

尖った俺を柔らかくしてくれたのは、夜の仕事、水商売だ。水商売では、他人とやたら近い距離で関わる。目の前の人が持つだらしなさに触れながら、本性をぶつけられながら、理性ではなく感情で交わっていく。人のしょうもなさは愛おしくて、安心できて、奢りも傲慢もどこかへ行ってしまう。

女性用風俗はまさにその極みだ。難解な女心に、繊細な女体に、丸裸で体当たりする。お客様に指名されるには〝女性ファーストの紳士〟でなければならず、後輩を指導するには〝ついていきたくなる先輩〟でなければならないと知った。俺の尖った核はそのままに、人間性が丸く熟していった。

気づいたら、周りのスタッフも、セラピストも、お客様も、俺を認めてくれていた。

俺の野望は「風俗業界の地位を上げ、世間に認めさせる」ことだ。風俗は隠れてやる仕事じゃない。すごくいい仕事で、すごく輝ける仕事なんだと、声を大にして伝えたい。

だから多くのセラピストがぼかしを入れるプロフィール写真で素顔を晒し、TwitterやYouTubeなどのSNSで性にまつわる知識を発信したり、一般男性向けの性感講習をリアルで開催したりしている。

そうやって胸を張って仕事をしてきたから、この本を出すこともできた。コソコソ隠れて後ろめたく働いていたら、俺は今ここにいない。

そう簡単に社会が変わるとは思わない。

でも、俺がもっと性感の知識を伝えていったら、世の中の男性のセックスが良くなって、女性が喜んで、男女ともに性を肯定的に受け入れられるようになる。

セックスで悔しい思いをする男性や、悲しい思いをする女性が減る。

バタフライ効果のように、俺の羽ばたきでプラスの循環を生み出していきたい。

今この本を読んでいるあなたも、その人差し指で目の前の女性を悦ばせてほしい。

あなたの人差し指の一押しが、プラスの循環を生む羽ばたきになるから。

最後に、最大級の感謝を伝えさせてください。
へたくそだった俺に、技術ではなく心が大事だと教えてくれたのはお客様です。だから手マンやクンニの技術より、信頼し安心してもらうことに重きを置いています。
心は見えないから読み取るのは難しいけど、表情や体の動き、雰囲気、声、呼吸から感じ取ることができます。

体だけで満足させられる人もいるけど、俺はやっぱり心を大事にしたい。
これからも満足と感動を与えられるように真剣にエロします。

俺をここまで育ててくださったお客様、風業界に俺を引っぱり上げ、支えてくださった方たち、この本を手に取ってくださったあなた、本当にありがとうございます。

ケンジ

著者プロフィール

KENJI

女性用風俗「秘密基地グループ」名古屋支店所属。札幌支店の立ち上げメンバーとして活動後、名古屋支店の新規立ち上げに伴い移籍。2022年に総勢800名のセラピストの中からグランプリを獲得しNo.1セラピストに輝く。名古屋店所属ながら全国から指名客が訪れる、これまで1000人以上の性開発を行い、一般向けの性感講習も開催する。

https://youtube.com/@kenji1502

女性用風俗No.1セラピストのプロSEX

2023年1月31日　初版第一刷発行
2024年5月31日　　　第二刷発行

著者　KENJI
執筆協力・編集　秋カヲリ
編集協力　宮嵜幸志（株式会社YOSCA）
デザイン　北尾崇（HON DESIGN）
イラスト　かずまこうじ、スタッフK

発行者　秋カヲリ
発行所　星天出版
https://www.seitenbooks.com/